W9-BWF-402

Room	DATE DUE	
207	esmeralda	
306	Miriam Barrios	
312	Dino	
109	Alma	
215	Joanmfones	

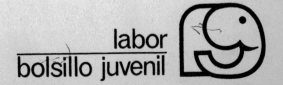

labor
bolsillo juvenil

Esmeralda

Charles Dickens

Novela de vacaciones y otros relatos

Ilustraciones de Raúl G. Ferreira

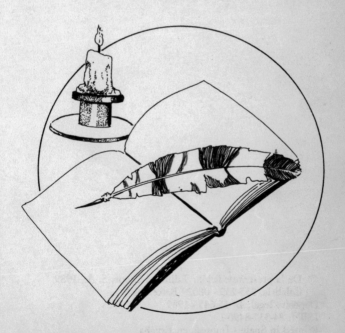

EDITORIAL LABOR, S. A.

Primera edición: 1989

© De la presente edición: Editorial Labor, S. A., 1989
   Calabria, 235-239 - 08029 Barcelona
Depósito legal: B. 15.645 - 1989
ISBN: 84-335-8490-1
Printed in Spain - Impreso en España
Impreso en Romanyà/Valls, S. A.
Verdaguer, 1 - 08786 Capellades (Barcelona)

Novela de vacaciones

Primera parte

NOVELA PRELIMINAR, DEBIDA A LA PLUMA DE GUILLERMO TINKLING, HIDALGO DE OCHO AÑOS

Esta primera parte no se la ha inventado nadie, sépanlo los lectores. Todo lo que en ella se cuenta es verdad. Debéis creer esta primera parte con más fe que todo lo que le sigue; de otro modo, no acertaríais a comprender por qué razón se ha escrito lo que le sigue. Creedlo todo; pero creed aún más esto que va aquí, por favor. Porque su autor soy yo mismo. Robertito Redforth, que es primo mío y está moviendo adrede la mesa para fastidiarme, quiso ser quien lo escribiese. Yo le dije que no debía hacerlo, porque no sabría cómo. No tiene ni idea de lo que es escribir.

Riquita Ashford es mi novia. Nos casamos en el cuartito de la mano derecha, el que hay en la esquina de la escuela de baile

5

donde nos conocimos, con un anillo (era verde) de la tienda de juguetes de Wilginkwater. Lo pagué con dinero de mi bolsillo. Terminada la maravillosa ceremonia, fuimos los cuatro camino adelante y disparamos un cañón para anunciar la boda (Robertito Redforth se trajo el cañón cargado en el bolsillo del chaleco). Cuando estalló, dio un salto y quedó volcado. Al siguiente día, el teniente coronel Robertito Redforth se unió, mediante parecidas ceremonias, a Alicia Rainbird. Esta vez, estalló el cañón con una terrible explosión y ladró como un cachorro.

En aquel tiempo, mi incomparable novia sufría cautiverio en casa de la señorita Grimmer. La razón social es Drowvey y Grimmer, y las opiniones están divididas acerca del cuál de las dos es más odiosa. También la encantadora novia del coronel se hallaba emparedada en la mazmorra del mismo establecimiento. El coronel y yo nos comprometimos, con un juramento, a rescatar a nuestras novias cuando el miércoles saliesen de paseo de dos en dos.

Apremiado por las desesperadas circunstancias del caso, el activo cerebro del coronel, acostumbrado a actuar fuera de la ley, porque es pirata, sugirió que hiciésemos el ataque con fuegos artificiales. Sin embargo, movidos de sentimientos humanitarios, abandonamos el proyecto por excesivamente costoso.

El coronel, ligeramente armado con un cortapapeles que llevaba escondido debajo de la abotonada chaqueta, y ondeando la temida bandera negra, tomó el mando de mi persona el memorable día señalado, a las dos de la tarde. Había dibujado el plan de ataque en un papel que enrolló en un palo de jugar al aro. Me lo enseñó a mí. Mi posición, detrás de un poste de alumbrado, estaba marcada con mi retrato de cuerpo entero (por error, mis orejas estaban dibujadas en posición horizontal); las órdenes eran de no moverme hasta que viese caer a la señorita Drowvey. La Drowvey que tenía que caer era la que llevaba gafas, no la del ancho sombrero color espliego. Cuando se produjese aquel acontecimiento, tenía yo que abalanzarme, agarrar a mi novia y abrirme paso hasta el sendero, donde establecería contacto con el coronel. Entre nosotros y nuestros camaradas nos echaríamos a espaldas a nuestras respectivas novias, resueltos a triunfar o morir.

Apareció el enemigo; se fue acercando. El coronel atacó, agitando su bandera negra. Se produjo la confusión.

Aguardé ansiosamente la señal de ataque; pero ésta no se produjo. Muy lejos de caer, me pareció que la odiada Drowvey de las gafas había envuelto la cabeza del coronel en su bandera ilegal y le estaba golpeando con la sombrilla. También la señorita del sombrero color de espliego realizaba prodigios de valor descargando sus puños sobre las espaldas del coronel. Viendo que todo estaba perdido por el momento, luché desesperadamente, mano a mano, y me abrí paso hasta el sendero. Tiré por la carretera de atrás. Tuve la suerte de no tropezar con nadie, y llegué sin novedad.

El coronel tardó un siglo en reunírseme. Así me lo pareció a mí. Había ido a casa del sastre remendón para que le echasen algunos zurcidos, y culpó de nuestra derrota a la obstinada resistencia que opuso la odiada Drowvey a dejarse tirar al suelo. Viendo su obstinación, le gritó: «Muere, traidora», pero no se mostró en este punto menos terca que en el anterior.

Al día siguiente, apareció mi florida novia en la escuela de baile, acompañada de la novia del coronel. ¿Cómo? ¿Ha vuelto la cabeza hacia otro lado para no mirarme? Pues sí, señor. Y luego me miró despectivamente y eligió otra pareja, dejando antes en mi mano un pedazo de papel, en el que había escrito a lápiz: «¡Cielos! ¿Tendré ánimos para escribir la palabra? ¿Es mi marido una vaca?».

En el primer instante de asombro de mi

cerebro calenturiento, intenté descubrir
quién pudo ser el calumniador que había
emparentado a mi familia con el innoble
animal que se mencionaba en el papel. Mis
esfuerzos fueron inútiles. Cuando terminó
el baile dije cuchicheando al coronel que
viniese al vestuario, y allí le mostré la nota.

Él contrajo el ceño, y me dijo:

—Le falta una sílaba.

—¿Una sílaba...? ¿Y cuál es...? —le pregunté.

—Pregunta en el papel si tendrá ánimos
para escribir la palabra. No los tuvo. Puedes ver que no los tuvo —dijo el coronel, se-
ñalándome la frase escrita.

—¿Cuál era la palabra? —exclamé.

—Cobarde —me siseó el coronel pirata
al oído, devolviéndome el papel.[1]

Poseído del sentimiento de que si no lim-
piaba aquella mancha sería para toda mi
vida un muchacho sin honor, quiero decir,
una persona, pedí que me juzgase un tribunal marcial. El coronel admitió que yo estaba en mi derecho. Hubo cierta dificultad
en formar el tribunal, porque la tía del emperador de Francia se negaba a dejarle salir
a la calle. Y era el emperador quien había
de presidir el tribunal. Sin dar tiempo a que
tuviésemos que nombrar un sustituto, se

---

[1] Juego intraducible de palabras: *cow* (vaca) y *coward* (cobarde).

descolgó por la pared trasera e hizo acto de presencia entre nosotros como libre monarca.

Tuvo lugar la vista en el césped, cerca del estanque. Advertí que figuraba entre los jueces cierto almirante, que era mi peor enemigo. Mediaron entre nosotros, a causa de un coco, ciertas palabras que yo no pude tolerar. Sin embargo, yo, confiado en mi inocencia y sabiendo que a su lado tenía asiento el presidente de los Estados Unidos, que me debía una navajita, me preparé para la prueba.

Solemne espectáculo el de aquel tribunal de justicia. Dos oficiales mayores, con los delantales vueltos del revés, me condujeron ante el tribunal. Vi que asistía mi novia, a la sombra de una sombrilla, sostenida por la novia del coronel-pirata. El presidente, después de dirigir una amonestación a un pequeño alférez femenino por dejar escapar una risita en acto como aquél, que era de vida o muerte, me preguntó si me reconocía «cobarde o no cobarde, culpable o no culpable». Yo contesté, en tono firme, que me declaraba «no cobarde y no culpable». Hubo que amonestar de nuevo al pequeño alférez femenino por su falta de compostura, y entonces ella se rebeló contra el presidente, abandonó la sala y se puso a tirarle piedras.

Mi implacable enemigo, el almirante, dirigió la acusación contra mí. Fue llamada la novia del coronel para que testificase que yo había permanecido detrás del poste del alumbrado durante la trifulca. Hubieran debido evitarme la angustia de ver cómo mi propia novia era también llamada como testigo del mismo hecho; pero el almirante sabía perfectamente cómo herirme. Tranquilízate, alma mía, que no importa. Se hizo comparecer luego al coronel, para que aportara sus pruebas.

Era el momento decisivo para mi defensa. Libertándome de mis guardianes, dos estúpidos que no tenían derecho a sujetarme mientras no fuese declarado culpable, pregunté al coronel cuál era, en su opinión, el primer deber de un soldado. Antes que él tuviese tiempo de contestar, se levantó el presidente de los Estados Unidos e informó al tribunal de que mi enemigo el almirante había contestado: «Ser valiente», y que no era jugar limpio el sugerir al testigo la respuesta. El presidente del tribunal ordenó que se le llenase la boca de hojas al almirante y se le amordazase con una cuerda. Tuve la satisfacción de ver cómo se cumplía la sentencia antes que el juicio siguiese adelante.

Saqué entonces un papel del bolsillo del pantalón, y pregunté:

—¿Cuál es, en opinión vuestra, coronel Redforth, la primera obligación de un soldado? ¿No será la obediencia?

—La obediencia es, en efecto —contestó el coronel.

—¿Ese papel, dignaos examinarlo, está escrito por vuestra mano?

—Lo está.

—¿Se trata de un dibujo militar?

—Así es.

—¿De un dibujo militar para una operación?

—Exactamente.

—¿Para la última operación que efectuamos?

—Para la última operación, en efecto.

—Tened la bondad de describirlo y entregádselo después al presidente del tribunal.

Desde aquel momento triunfal se habían acabado mis penas y mis peligros. El tribunal se levantó y empezó a saltar, así que comprobó que yo había obedecido estrictamente las órdenes recibidas. Mi enemigo, el almirante, que seguía amordazado, pero con las mismas malignas intenciones, se las compuso para sugerir que yo me había deshonrado abandonando el campo de batalla. Pero eso era lo mismo que había hecho el coronel, y éste declaró, bajo su palabra de honor y de pirata, que el abandonar el campo, cuando ya la batalla está perdida, no constituye deshonra. Se iba a dictar la sentencia de «ni cobarde ni culpable», y mi florida novia iba a ser públicamente devuelta a mis brazos procesionalmente; pero en aquel instante vino a turbar el regocijo general un acontecimiento inesperado. Éste fue nada menos que el que la tía del emperador de Francia cogió a éste por los cabellos. Las deliberaciones se terminaron bruscamente, y la vista se disolvió entre un tumulto.

Dos tardes después, cuando empezaban a caer las sombras del crepúsculo, antes que los plateados reflejos de la luna tocasen la tierra, pudo verse avanzar lentamente a cuatro personas hacia el sauce llorón que se alza a orillas del estanque, escenario, ahora desierto, de los triunfos y angustias del día anterior. Acercándose más, quien tuviese una vista ejercitada, identificaría en aquellas personas al pirata-coronel con su novia y al gallardo preso de dos días atrás con la suya. En los bellos rostros de las ninfas reinaba el abatimiento. Los cuatro permanecieron sentados bajo el sauce sin decir palabra, por espacio de algunos minutos. La novia del coronel habló por fin, haciendo mohínes:

—De nada sirve seguir fingiendo, y lo mejor será que lo echemos todo a rodar.

—¿Qué es eso de seguir fingiendo?... —exclamó el pirata.

Pero su novia le replicó:

—No sigas con esa farsa, porque me fastidias.

La encantadora novia de Tinkling se hizo eco de aquella declaración increíble. Los dos guerreros cambiaron entre sí miradas glaciales. La novia del coronel-pirata prosiguió:

—Si los mayores están empeñados en no hacer lo que deben, y no hacernos caso, ¿qué sacamos de seguir simulando?

—Ponernos en apuros; eso es lo único que sacamos —dijo la novia de Tinkling.

—Tú sabes perfectamente —agregó la novia del coronel— que la señorita Drow-vey no se dejará derribar. Te lamentaste de ello tú mismo. Sabes también de qué manera más desdichada terminó el consejo de guerra. En cuanto a nuestra boda, ¿crees que en mi casa la van a dar por válida?

—¿Y van a dar por válida la mía en mi casa? —dijo la novia de Tinkling.

Los dos guerreros volvieron a cambiar entre sí miradas glaciales.

Luego, la novia del coronel dijo:

—En mi casa te mandarían a paseo y, si luego volvieses a llamar para reclamarme, sólo conseguirías algún tirón de pelo, de orejas o de nariz.

—Y si tú insistes en tocar la campanilla para pedir que yo salga —manifestó la novia de Tinkling a este caballero—, te tirarán cualquier cosa a la cabeza desde la ventana de encima del llamador, o te rociarán con la manga de riego del jardín.

—Sin contar con que no lo pasaríais mejor en vuestras mismas casas —intervino la novia del coronel—. Os mandarían a la cama, si no os hacían cualquier herejía. Y, además, ¿cómo nos ibais a mantener?

El pirata-coronel contestó animoso:

—Mediante la rapiña.

Pero su novia le replicó:

—¿Y si las personas mayores no se dejaran robar?

El coronel contestó:

—Lo pagarían muy caro.

—Pero supón que no quisiesen pagarlo muy caro ni de ninguna otra manera; entonces, ¿qué?

Siguió a estas palabras un doloroso silencio.

—¿Ya no me quieres, Alicia? —preguntó el coronel.

—¡Redforth, yo soy siempre tuya! —contestó ella.

—¿Ya no me quieres, Riquita? —preguntó quien esto escribe.

—¡Tinkling, yo soy siempre tuya! —contestó mi novia.

—Riquita y yo —dijo tristemente Alicia— hemos reflexionado sobre nuestra posición. Los mayores tienen más fuerza que nosotros. Nos ridiculizan. Además, los tiempos han cambiado. Ayer fue bautizado el hermano pequeño de Guillermo Tinkling. ¿Y cómo ocurrió? ¿Asistió algún rey a la ceremonia? Contesta, Guillermo.

Contesté que no, a menos que asistiese disfrazado de tío-abuelo Chopper.

—¿Y las reinas?

Que yo supiese, ninguna reina se halló presente en mi casa. Quizá hubiese habido alguna en la cocina, aunque yo no lo creía, porque las criadas habrían hablado del caso.

—¿Hubo hadas?

—No se dejó ver ninguna.

—Según creo —dijo Alicia con melancólica sonrisa—, habíamos hablado entre nosotros de que seguramente se demostraría allí que la·señorita Grimmer era el hada mala, porque acudiría al bautizo con su muleta y llevaría al niño algún regalo dañino. ¿Ocurrió algo de todo esto? Contéstame, Guillermo.

Contesté que mi mamá había dicho después, y, en efecto, lo dijo, que el regalo del tío-abuelo Chopper era una porquería; pero que no dijo que era dañino. Sólo comentó que era un regalo vulgar, ajado, de segunda mano, y que no correspondía a lo que él cobra.

—Con seguridad, son las personas mayores las que lo han cambiado todo —dijo Alicia—. Nosotros no hubiéramos podido hacerlo, aunque hubiéramos tenido esa tentación, que nunca la hubiéramos podido tener. Quizá, después de todo, sea la señorita Grimmer un hada mala, pero no ha actuado porque las personas mayores la han convencido de que no lo hiciese. Sea lo que fuere, se reirían de nosotros si les declarásemos qué era lo que esperábamos que sucediese.

—¡Tiranos! —masculló el pirata-coronel.

—No digas eso, Redforth mío —exclamó Alicia—. No los insultes, o se lo irán a contar a mi papá.

—Que se lo cuenten —dijo el coronel—. No me importa. ¿Quién es él?

Al llegar a este punto, acometió Tinkling la peligrosa tarea de reprochar a su fascineroso amigo las irritadas frases que acababa de mencionar, rogándole que se aviniera a retirarlas.

—¿Qué nos queda por hacer a nosotros? —siguió diciendo Alicia, con el mismo tono bondadoso y razonador—. Tenemos que educarles, tenemos que fingir de distinta manera, tenemos que esperar.

El coronel apretó los dientes, que eran

cuatro y un pedazo de otro, porque le habían llevado al dentista dos veces, pero se había escapado de sus guardianes

—¿Qué es eso de educarles? ¿Qué es eso de fingir de distinta manera? ¿Qué es eso de esperar?

—Educar a las personas mayores —dijo Alicia—. Esta noche nos separamos. Sí, Redforth, nos separamos —el coronel se había arremangado los puños de la camisa—. Durante las próximas vacaciones, que pronto van a empezar, hemos de concentrar nuestro pensamiento en idear algún plan para educar a los mayores, dándoles a entender cómo debieran ser las cosas. Disimularemos nuestro propósito bajo un velo de novela. Tú, Riquita y yo. Guillermo Tinkling, que es quien escribe más claro y con más rapidez, la redactará. ¿De acuerdo?

El coronel respondió con marcada desgana:

—Me da igual. —Luego preguntó—: ¿Y en qué consistirá la simulación?

—Simularemos —dijo Alicia— que somos niños. No queremos ser personas mayores, de esas que no nos ayudan como debieran, y que tan mal nos comprenden.

El coronel, muy descontento aún, gruñó:

—Y acerca de esperar, ¿qué?

—Pues, esperaremos —contestó Alicia, cogiendo la mano de Riquita entre las su-

yas y alzando los ojos al cielo—, esperaremos siempre fieles y constantes, hasta que
cambien los tiempos de manera que todas
las cosas se vuelvan en favor nuestro y nadie se ría de nosotros, y retornen las hadas.
Esperaremos, siempre fieles y constantes,
hasta los ochenta, noventa o cien años.
Para entonces, las hadas nos enviarán niños y nosotros los sacaremos adelante, ¡pobres criaturas!, si tienen los mismos pro-
blemas que nosotros.

—Así lo haremos, querida —exclamó Riquita Ashford, agarrándola por la cintura
con ambos brazos y besándola. Y ahora, si
mi esposo quiere ir a comprarnos cerezas,
yo dispongo de dinero.

Invité del modo más amistoso al coronel
a que me acompañase. Pero él, olvidándose
de su dignidad, empezó a dar coces al aire,
se tumbó tripa abajo sobre la hierba, arran-
cándola y masticándola. Sin embargo, cuando volví, Alicia ya casi lo había sacado de
su acceso de enojo, y lo calmaba diciéndole
que muy pronto tendríamos noventa años.

Sentados bajo el álamo y comiendo cerezas, equitativamente, porque era Alicia
quien las repartía, jugamos a tener noventa
años. Riquita se quejaba de que tenía un
hueso en sus viejas espaldas que la obli-
gaba a encorvarse, y Alicia entonó un canto
con voz de anciana, pero que resultaba

muy bonito. Estábamos muy contentos. O, por lo menos, muy a nuestras anchas, puesto que no estoy seguro de la alegría de todos.

Había una cantidad enorme de cerezas, y Alicia siempre llevaba alguna bolsa o caja de cartón o metal en la que guardar las cosas. Aquella noche guardaba en ella un vasito de los de vino. Alicia y Riquita dijeron que iban a preparar vino de cerezas para brindar por nuestro amor antes de separarnos.

Nos tocó a cada uno un vaso, y resultó delicioso; y uno después de otro brindamos «por nuestro amor antes de separarnos». El último en beber fue el coronel; y a mí se me metió en la cabeza que el vino se le había subido a la suya. En fin, que así que vació el vaso empezó a revolver los ojos, y me llevó aparte, diciéndome entre cuchicheos roncos que deberíamos «largarnos con ellas callandito».

Pregunté a mi desaforado amigo qué quería decir con eso.

—Raptar a nuestras novias y luego largarnos, sin hacer el menor zigzag hasta la tierra firme, en España.

Aunque yo creí que el plan fracasaría, quizá lo hubiéramos intentado; pero, al mirar en torno nuestro, vimos que debajo del sauce no había más que luz de luna, y que nuestras lindísimas novias se habían marchado. Rompimos a llorar. El coronel empezó el segundo y acabó el primero; pero lo hizo con más fuerza.

Sentimos vergüenza de vernos con los ojos encarnados, y nos entretuvimos casi media hora en blanqueárnoslos. Nos dimos con yeso en los bordes de los párpados, yo al coronel y el coronel a mí; pero cuando estuvimos en nuestros dormitorios frente al espejo comprobamos que se notaba mucho y que, además, se nos habían hinchado los párpados. Conversamos como si fuésemos dos nonagenarios. El coronel me dijo que tenía que echar suelas y tacones a unas botas, pero que no creía que valiese la pena decírselo a su padre, porque a los noventa años es más propio calzar zapatos, y él iba a cumplirlos pronto. También me dijo el coronel, apoyándose una mano en la cadera, que ya se empezaba a sentir viejo, y que se estaba volviendo reumático. Y yo le aseguré lo mismo de mí. Por la noche, cuando cenábamos, me echaron en cara, siempre tienen que echarme algo en cara, que me estaba poniendo cargado de espaldas. Y yo me puse contento.

Y aquí termina la primera parte, que es la que más debéis creer.

Segunda parte

NOVELA ESCRITA POR LA SEÑORITA ALICIA
RAINBIRD, DE SIETE AÑOS

Éranse que se eran un rey y una reina. Era el rey el hombre más valeroso; y era ella la mujer más bonita. La profesión del rey, en su vida privada, era la de oficinista. El padre de la reina había sido médico rural.

Tenían diecinueve hijos, y seguían llegando más. Diecisiete cuidaban del bebé, y Alicia, la mayor, cuidaba de todos ellos. Sus edades iban de los siete años a los siete meses.

Prosigamos nuestra historia.

Cierto día en que el rey iba a la oficina, se detuvo en casa del pescadero para comprar libra y media de salmón, pero que no fuese de junto a la cola; la reina —que era una señora muy de su casa— le encargó diese orden de que se lo llevasen a domicilio. El señor Pickles, que era el pescadero, le dijo:

—Seréis servido, señor. ¿Desea algo más el señor? Muy buenos días.

El rey se dirigía a su oficina muy melancólico, porque faltaba aún mucho para la paga del trimestre, y varios de sus queridos niños crecían hasta no caber ya en sus trajes. No había andado largo trecho todavía, cuando le alcanzó el chico de los mandados del señor Pickles, y le dijo:

—Señor, ¿no os habéis fijado en la anciana que había en nuestra tienda?

—¿A qué anciana te refieres? No he visto a ninguna —dijo el rey.

Ahora bien: el rey no había visto a ninguna anciana, porque ésta había permanecido invisible para él, aunque se dejase ver por el chico del señor Pickles. Debióse, probablemente, a que el chico estaba lavando y salpicándolo todo de agua, chapoteando con sus botas en el charco de un modo tan alocado que, si no se hubiese dejado ver por él, le habría manchado los vestidos.

Y en aquel preciso momento llegó la anciana corriendo. Su vestido era de seda tornasolada de la mejor calidad y olía a espliego seco.

—¿Sois vos el rey Watkins I? —preguntó la anciana.

—Watkins es, en efecto, mi nombre —le contestó el rey.

—Papá, si no estoy equivocada, de la bella princesa Alicia.

—Y de otros dieciocho angelitos —dijo el rey.

—Según veo, ibais a la oficina —preguntó la anciana.

Cruzó por la cabeza del rey, como un relámpago, la idea de que debía de ser un hada. ¿Cómo podía saber de otra manera tales cosas?

La anciana le dijo, adivinando sus pensamientos:

—Tenéis razón. Yo soy la buena hada Granmarina. ¡Escuchad! Cuando volváis a vuestra casa para comer, invitad cortésmente a la princesa Alicia a compartir con vos el salmón que acabáis de comprar.

—Quizá no le siente bien —dijo el rey.

Fue tal la indignación de la anciana ante esa absurda idea, que el rey se alarmó y pidió perdón humildemente.

La anciana exclamó con gesto de máximo desdén:

—Estoy harta de oír decir a la gente que si esto no está bien, o que lo otro no sienta bien. No seáis glotón. Lo que creo es que lo queréis todo para vos.

El rey agachó la cabeza ante semejante reproche, y aseguró que jamás volvería a decir que una cosa no sentaba bien.

—No lo hagáis, y sed bueno —dijo el hada Granmarina—. Cuando la hermosa princesa Alicia consienta en participar del salmón, como creo que lo hará, observaréis que deja en su plato una raspa de pescado. Decidle que la seque, que la frote y la pulimente hasta que brille igual que una madreperla, y que la guarde cuidadosamente como regalo mío.

—¿Nada más? —dijo el rey.

—No seáis impaciente, señor —replicó el hada Granmarina en tono de severo reproche—. No cortéis la palabra a la gente antes de que hayan acabado de hablar. Eso es lo que acostumbráis hacer siempre las personas mayores.

Volvió el rey a agachar la cabeza, y le dijo que nunca más lo haría.

—No lo hagáis, pues, y sed bueno —dijo el hada Granmarina—. Decidle a la princesa Alicia, al mismo tiempo que le transmitís la expresión de mi afecto, que la raspa de pescado es un regalo mágico que solamente tiene virtud una vez, pero que esa vez le proporcionará todo lo que ella desee, *a condición de que lo desee en el momento preciso*. Este es el mensaje. Cuidaos de llevarlo.

El rey empezó a decir:

—¿Podría preguntar la razón...?

Pero el hada se puso furiosa, y exclamó, golpeando el suelo con el pie:

—¿Querréis, por fin, ser bueno? Ya estamos con la razón de esto y la razón de lo otro. Siempre queréis saber la razón. No hay razón que valga. ¡Basta! Estoy harta de vuestras razones de personas mayores.

El rey se asustó muchísimo al ver aquel arrebato de cólera de la anciana, y le dijo que lamentaba de veras haberla ofendido, y que nunca más preguntaría rázones.

—No lo hagáis, pues, y sed bueno —contestó la anciana.

Dichas estas palabras, desapareció Granmarina y el rey siguió caminando, caminando y caminando, hasta que llegó a la oficina. Una vez allí, escribió, escribió y escribió, hasta que llegó el momento de regresar a su casa. Entonces invitó cortésmente a la princesa Alicia a compartir el salmón con él, cumpliendo así con lo que el hada le había indicado. Ella lo comió con muchísimo gusto, y el rey vio la raspa en el plato de la princesa, tal como lo había anunciado el hada, y dio a su hija el mensaje de aquélla. La princesa Alicia se cuidó de secar la raspa, frotarla y pulirla hasta que tuvo el brillo de la madreperla.

A la mañana siguiente, ocurrió que, en el momento en que se iba a levantar de la cama la reina, exclamó:

—¡Ay de mí, ay de mí! ¡Mi cabeza, mi cabeza!

Y se desmayó.

La princesa Alicia, que se acababa de asomar a la puerta para preguntar por el desayuno, alarmóse mucho viendo a su real madre en tal estado, y tocó la campanilla para avisar a Marga, que así se llamaba el lord chambelán. Pero luego se acordó del sitio en que estaba el frasco de sales. Se subió a una silla y lo alcanzó; hecho esto, subió a otra silla junto al lecho de la reina y le aplicó el frasco de sales a la nariz, después de lo cual saltó al suelo y trajo agua, y a continuación volvió a subirse en la silla y humedeció la frente de la reina; en resumidas cuentas: que cuando llegó el lord chambelán, que era una buena y anciana señora, dijo a la princesita:

—¡Qué maravilla! Yo misma no lo habría hecho mejor.

Pero no paró en esto la enfermedad de la buena reina. ¡Oh, no! Estuvo muy enferma durante mucho tiempo. La princesa Alicia cuidó de que los diecisiete principitos y princesitas no alborotaran, vistió, desvistió y meció al bebé, hizo hervir la cafetera, calentó la sopa, barrió la cocina, midió la medicina, atendió a la reina, hizo todo cuanto estuvo en su mano, siempre atareada, atareada y atareada, como puede estarlo la persona más atareada. En aquel palacio no abundaba la servidumbre, por tres razones: porque el rey andaba escaso de dinero, porque nunca acababan de subirle el sueldo en la oficina y porque el fin del trimestre estaba tan lejos y parecía tan distante y tan pequeño como una estrellita.

Pero ¿dónde estaba la raspa mágica la mañana aquella en que la reina se desmayó? ¡Pues allí mismo, en el bolsillo de la princesa Alicia! Ya iba a sacarla para hacer que recobrase la reina el conocimiento; pero lo pensó mejor y volvió a dejarla en su sitio y prefirió ir a buscar el frasco de sales.

Después que la reina se recuperó aquella mañana de su desmayo, cuando estaba echando un sueñecito, la princesa Alicia echó a correr escaleras arriba para contar un secreto especialísimo a cierta amiga de su especialísima confianza, que era duquesa. La gente estaba en la creencia de que era una muñeca; pero la verdad es que se trataba de una duquesa, aunque nadie más que la princesa lo sabía.

El especialísimo secreto en cuestión era el de la mágica raspa de pescado, cuya historia conocía muy bien la duquesa, porque la princesita se lo contaba todo. Ésta se arrodilló junto a la cama en que estaba acostada la duquesa, vestida de punta en blanco y despierta, y le cuchicheó su secreto. La duquesa se sonrió y asintió con la cabeza. La gente creía que nunca se sonreía ni movía la cabeza afirmativamente; pero lo cierto es que lo hacía con frecuencia, aunque todos lo ignoraban, menos la princesita.

Hecho esto, la princesa Alicia echó a correr escaleras abajo para permanecer de guardia en el cuarto de la reina. Muchas veces montaba la guardia sola; pero, mientras duró la enfermedad de la reina, solía velar todas las tardes en compañía del rey. Y todas las tardes la miraba el rey con cara de ofendido, preguntándose cómo era que no se le ocurría echar mano de la raspa mágica. Y en cuanto ella se daba cuenta, corría escaleras arriba para cuchichear de nuevo su secreto a la duquesa, y le decía, además:

—Se imaginan que los niños no sabemos lo que nos hacemos ni lo que queremos.

Y la duquesa, a pesar de ser la más elegante y fina que se recuerda, le guiñaba un ojo.

—Alicia —dijo una noche el rey cuando su hija le estaba dando las buenas noches.

—Escucho, papá.

—¿Qué se ha hecho de la raspa mágica?

—Sigue en el bolsillo, papá.

—Pensé que la habrías perdido.

—¡De ningún modo, papá!

—O que te habrías olvidado de ella.

—¡Jamás, papá!

Y en esto ocurrió que el gruñón y espantoso perrillo faldero de la casa de al lado se lanzó corriendo sobre uno de los principitos que acababa de llegar de vuelta de la escuela y estaba en la escalinata de la entrada. Lo asustó de tal manera, que le hizo perder la serenidad. Y el principito, sin querer, dio un golpe con la mano al cristal de la puerta, haciéndolo añicos y la mano se puso a sangrar, sangrar y sangrar. Cuando los otros dieciséis principitos y princesitas lo vieron sangrar, sangrar, y sangrar, se asustaron y se pusieron a gritar todos a una desesperadamente. Pero la princesa Alicia fue tapándoles las bocas con la mano, uno a uno, y convenciéndolos para que se callaran y no alarmasen a la reina enferma. Luego metió la mano sangrante del príncipe en una palangana llena de agua, mientras miraban asombrados con sus (diecisiete por dos, treinta y cuatro) treinta y cuatro ojos, y después miró bien por si quedaban trozos de cristal, que, afortunadamente, no quedaban. A continuación, les dijo a dos principitos de piernas rollizas que, aunque pequeños, eran fuertes:

—Traedme la bolsa real en que se guardan los retazos de telas.

Los dos principitos se trajeron a rastras la bolsa de los trapos, y la princesa Alicia se sentó en el suelo con un par de tijeras, aguja e hilo, y cortó, hilvanó, tijereteó y arregló todo un vendaje, que colocó en la herida y quedó muy bien; y, al acabar su tarea, vio que el rey, su papá, la estaba mirando por el cristal de la puerta.

—Alicia.

—Escucho, papá.

—¿Qué hacías?

—Cortar, tijeretear, hilvanar y arreglar, papá.

—¿Dónde tienes la raspa mágica?

—En el bolsillo, papá.

—Pensé que la habrías perdido.

—¡De ninguna manera, papá!

—O que te habrías olvidado de ella.

—¡Jamás, papá!

Hecho esto, corrió escaleras arriba a donde estaba la duquesa, y le contó cuanto había ocurrido, y volvió a explicarle su secreto. La duquesa movió sus dorados rizos y abrió sus labios para sonreír.

No pararon ahí las cosas, porque en otra ocasión se cayó el bebé contra la reja del hogar. Los diecisiete principitos y princesitas estaban acostumbrados a caerse, unas veces contra la reja del hogar y, otras, escaleras abajo; pero no así el bebé, que salió con la cara hinchada y un ojo negro. El pobre se cayó porque Alicia no lo tenía en su regazo, pues ella se había sentado frente al fuego, vestida con un gran delantal muy ordinario que no la dejaba moverse, y empezaba a pelar los colinabos para preparar el caldo de la comida; y tuvo que ponerse a esta tarea porque la cocinera del rey se había largado aquella mañana con la prenda de su corazón, que era un soldado muy alto y muy borracho. Los diecisiete principitos y princesitas, que se ponían a gritar en cuanto ocurría cualquier cosa, rompieron a chillar y vociferar. Pero la princesa Alicia, que tampoco pudo evitar alguna lágrima, les dijo que se callasen para que no empeorase otra vez la reina, que estaba arriba. Y les habló de este modo.

—A ver si os calláis, que parecéis todos unos monos, mientras yo veo qué le ha pasado al bebé.

Lo miró bien mirado, resultando que no se había roto nada; ella le pasó un hierro frío por el ojo lastimado y le acarició la dolorida mejilla hasta que se quedó dormido en sus brazos. Luego, dijo a los diecisiete principitos y princesitas:

—No me atrevo a acostarlo, no sea que se despierte y le duela aún el golpe; si sois buenos y no alborotáis, jugaremos todos a hacer de cocineros.

Se pusieron a saltar de alegría cuando la oyeron hablar así, y empezaron a confeccionarse gorros de cocinero con periódicos viejos. A uno le dio el bote de la sal; a otro, la cebada; a otro, las hierbas; a otro los colinabos, a otro, las zanahorias; a otro, las cebollas; a otro, el cajón de las especias, hasta que los hizo a todos cocineros, y estuvieron todos muy atareados, y ella, sentada en el centro, envuelta en su tosco delantal, cuidando del bebé. Y así se hizo el caldo.

Despertó el bebé, y Alicia se lo entregó a

la más formal de todas las princesas. Las demás, y los príncipes, apretujados en un rincón, miraban cómo Alicia revolvía la sartén del caldo; como siempre les estaba ocurriendo algún percance, temían que les alcanzase alguna salpicadura y los quemase. Cuando el caldo empezó a hervir y a humear, despidiendo un aroma agradable, todos aplaudieron. Y, al verlos, también el bebé se puso a palmotear; esto, y el ver que tenía la cara hinchada como si le estuviesen doliendo las muelas, hizo reír a los principitos y princesitas.

La princesa Alicia les dijo:

—Reíd y sed buenos; después de la comida le haremos una cama en un rincón para que pueda ver la danza de los dieciocho cocineros.

Las princesitas y los principitos quedaron encantados de oírla hablar así, se comieron todo el caldo, lavaron los platos y las fuentes, colocándolos luego en su sitio, y arrimaron la mesa a un rincón. Entonces ellos, con sus gorros de cocinero, y la princesa Alicia, con el delantal ordinario, que era el de la cocinera que se había escapado con un verdadero amor —un soldado alto y borracho—, bailaron la danza de los dieciocho cocineros delante del bebé, que, de alegría, se olvidó de su cara hinchada y de su ojo empavonado.

Otra vez, la princesa Alicia vio al rey Watkins I, su padre, que estaba en el umbral de la puerta mirando, y que le dijo:

—¿Qué has estado haciendo, Alicia?

—Cocinando y enredando.

—¿Qué más estuviste haciendo, Alicia?

—Alegrando a los hermanos, papá.

—¿Dónde tienes la raspa mágica, Alicia?

—En el bolsillo, papá.

—Pensé que la habrías perdido.

—¡De ninguna manera, papá!

—O que te habrías olvidado de ella.

—¡Nunca, papá!

El rey suspiró entonces tan tristemente, parecía tan abatido, sentóse con tan gran decaimiento, la cabeza apoyada en la mano y el codo sobre la mesa arrinconada junto a la pared de la cocina, que los diecisiete principitos y princesitas se deslizaron en silencio fuera de la misma y lo dejaron solo con la princesa Alicia y el bebé.

—¿Qué te ocurre, papá?

—Que soy tremendamente pobre, hija mía.

—¿No te queda ningún dinero?

—Absolutamente ninguno.

—¿Ni tienes modo de procurártelo, papá?

—Ninguno —contestó el rey—. Lo he buscado con el mayor ahínco y por todos los medios.

Al oír estas palabras, la princesa Alicia

empezó a meter la mano en el bolsillo donde guardaba la raspa mágica, y dijo:

—Papá, cuando se ha procurado conseguir una cosa con el mayor ahínco y por todos los medios, es que hemos hecho todo, absolutamente todo lo que hemos podido. ¿No es así?

—Así es, Alicia.

—Cuando hemos hecho todo, absolutamente todo lo que hemos podido, puede decirse que ha llegado el momento de pedir ayuda a los demás.

Y éste era precisamente el secreto de la raspa de pescado mágica, secreto que ella había descubierto por sí misma en las palabras del hada Granmarina, y que tantas veces había cuchicheado al oído de su bella y elegante amiga la duquesa.

Entonces sacó del bolsillo la raspa mágica que había secado, frotado y pulido hasta darle el brillo de la madreperla, y la besó manifestándole su deseo de que fuese aquél el día de paga del trimestre. Y en el acto fue el día de paga del trimestre, y el salario trimestral del rey bajó tintineando por el interior de la chimenea y saltó al centro de la cocina.

Pero esto no fue la mitad de lo que ocurrió, ni siquiera la cuarta parte, porque inmediatamente después llegó el hada Granmarina en su carruaje tirado por cuatro pavos reales, y detrás venía el chico del señor Pickles, vestido de plata y oro, con un sombrero muy alto, los cabellos empolvados de blanco, medias de seda escarlata, bastón de pedrería y un ramo de flores. Saltó a tierra el chico del señor Pickles, se quitó el sombrero y, dando muestras de la más exquisita cortesía —se había transformado por vía de encantamiento—, ayudó a descender del carruaje al hada Granmarina; y ésta se plantó ante ellos, con su vestido de rica seda tornasolada que olía a espliego, abanicándose con un abanico centelleante.

—Alicia, querida mía —dijo la encantadora y anciana hada—, ¿cómo estás? Muy bien, ¿no es así? Dame un beso.

La princesa Alicia la besó, y entonces el hada Granmarina se volvió hacia el rey y le preguntó ásperamente:

—¿Sois bueno?

El rey le contestó que creía que sí.

—Me imagino que ya sabréis la razón por la que esta hija adoptiva mía —y al decirlo volvió a besar a la princesa— no quiso echar mano a la raspa mágica hasta ahora.

El rey hizo una ligera inclinación, avergonzado.

—¿De modo que no descubristeis esa razón cuando yo os hablé la otra vez? —dijo el hada.

El rey se inclinó, aún más avergonzado.

—¿Y ya no pensáis en preguntar las razones? —dijo el hada.

El rey contestó que no, y que estaba muy arrepentido.

—Sed buenos, entonces —dijo el hada—, y vivid felices en adelante.

El hada Granmarina hizo una señal con su abanico y se presentó la reina espléndidamente ataviada, y también se presentaron los diecisiete principitos y princesitas; pero ya no vestían los trajes que antes les quedaban cortos, sino de punta en blanco y con dobladillos en la tela para poder alargárselos. Hecho esto, el hada tocó a Alicia con su abanico, y el sofocante y burdo delantal voló de allí, apareciendo la niña exquisitamente vestida, al igual que una novia, con guirnalda de azahares y velo plateado. Luego, el hada Granmarina entregó a Alicia un vestuario completo, con los más lujosos vestidos hechos a la medida y solicitó, además, que le fuese presentada la duquesa y fueron a buscarla de inmediato.

Mediaron entre el hada y la duquesa algunos cuchicheos, y, de pronto, el hada dijo en voz alta:

—Sí..., ya pensé que Alicia os habría contado el secreto.

Granmarina se volvió hacia el rey y la reina, y les habló así:

—Vamos en busca del príncipe Ciertapersona. Solicito, para dentro de media hora exactamente, el placer de vuestra presencia en la iglesia.

El hada y la princesa Alicia subieron al carruaje. El chico del señor Pickles dio la mano a la duquesa para ayudarla a subir, y ella se sentó enfrente. El chico del señor Pickles levantó entonces el estribo, se encaramó en la parte trasera y los pavos reales salieron volando con las colas en abanico.

El príncipe Ciertapersona estaba sentado solo, comiendo caramelos y esperando a tener noventa años. Cuando vio que los pavos reales y el carruaje a que iban uncidos se detenían frente a su ventana, se le ocurrió inmediatamente que algo extraordinario iba a ocurrir.

—Príncipe —le dijo Granmarina—, te traigo a tu novia.

Así que el hada dijo estas palabras, la cara del príncipe Ciertapersona apareció limpia de caramelo, su chaqueta y pantalón de pana se transformaron en terciopelo color flor de melocotón, se le ensortijaron los cabellos, llegó volando como un pájaro un gorro con plumas y se le encasquetó en la cabeza. A invitación del hada, se metió en el carruaje, y, una vez en él, saludó como antiguo conocido a la duquesa.

Se encontraban en la iglesia los parientes

y amigos del príncipe, los parientes y amigos de la princesa Alicia, los diecisiete principitos y princesitas, el bebé y una multitud de convecinos. La ceremonia de la boda excedió en belleza a toda ponderación. La duquesa sirvió de doncella de honor y presenció el acto desde el púlpito, apoyada en un cojín.

Granmarina dio después una magnífica fiesta de bodas, en la que se comió todo cuanto se quiso y más, y se bebió todo cuanto se quiso y más. El pastel de bodas estuvo delicadamente adornado con cintas de raso blanco, plata mate y azucenas blancas, y alcanzaba cuarenta y dos yardas de circunferencia.

Después que Granmarina brindó «por su afecto a la joven pareja», de que el príncipe Ciertapersona pronunció un discurso y todos gritaron: «¡Hip, hip, hip! ¡Hurra!», el hada anunció al rey y a la reina que, en adelante, habría en el año ocho días de paga trimestrales, menos en los años bisiestos, en que las pagas trimestrales serían diez. Después se volvió hacia Ciertapersona y Alicia, y les dijo:

—Amigos míos, os anuncio que tendréis treinta y cinco hijos, y que todos serán buenos y hermosos. Diecisiete de vuestros hijos serán varones y dieciocho, mujeres. Todos tendrán los cabellos naturalmente ensorti-

jados, pasarán el sarampión, y curarán de la tos ferina antes de nacer.

Al oír tan gratas noticias, gritaron todos otra vez:

—¡Hip, hip, hip! ¡Hurra!

—Ya sólo queda —dijo por fin Granmarina— acabar con la raspa de pescado.

La cogió de la mano de la princesa Alicia, y en el acto la espina se puso a volar, metiéndose por la garganta del espantoso y gruñón perro de la casa de al lado, y éste se atragantó y murió al poco rato.

Tercera parte

NOVELA DEBIDA A LA PLUMA DEL TENIENTE
CORONEL ROBIN REDFORTH, DE NUEVE AÑOS

Parece ser que el héroe de la presente narración se decidió por la profesión de pirata desde una edad relativamente temprana. Antes que diese una fiesta en honor de su décimo cumpleaños, nos lo encontramos ya al mando de una goleta de cien cañones cargados hasta la boca.

Creemos saber que nuestro héroe, habiendo sido gravemente ofendido por un profesor de gramática latina, exigióle las reparaciones que un hombre de honor debe a otro. No habiéndolas conseguido, resolvió en secreto apartar su ánimo altivo de tan ruin compañía, compró de ocasión una pistola de bolsillo, envolvió algunos bocadillos en una bolsa de papel, se preparó una botella de agua de regaliz y emprendió una valerosa carrera de aventuras.

Resultaría aburrido explicar las primeras etapas de la historia de Corazón Valeroso —su nombre de guerra—. Así, al empezar el relato, ya nos encontramos a Corazón Valeroso con el rango de capitán, tumbado sobre un felpudo rojo y vestido de gala, dentro del alcázar de su goleta *La Belleza*, en los mares de China.

Hacía una tarde deliciosa; la tripulación se hallaba agrupada alrededor de su capitán, y éste les hizo el obsequio de cantarles una canción:

Capitán: *La gente de tierra firme,*
¡qué locura!
Los piratas de los mares
¡que hermosura!
¡Oh, Doro, farsa y mentira!
Coro: —*¡Eh! ¡Vira!*

Es más fácil de concebir que de describir cómo sonaba de acariciadora esta música sobre las aguas cuando las ásperas voces de

45

los marineros se juntaban para poner el colofón del estribillo a las sonoridades del capitán Corazón Valeroso.

Y así estaban, cuando el vigía del mastelero dio la voz de:

—¡Ballena a la vista!

Todo se transformó en actividad.

—¿En qué dirección? —gritó el capitán Corazón Valeroso.

—Por la amura de babor, señor —gritó el vigía, saludando militarmente.

Era tan rígida la disciplina a bordo de *La Belleza*, que si el vigía olvidaba esta regla, aun encontrándose tan arriba, recibía un culatazo en la cabeza.

—Esta aventura me pertenece a mí —exclamó Corazón Valeroso—. Muchacho, venga mi arpón: que no me siga nadie.

Saltó a su bote sin compañía y remó con admirable destreza en dirección al monstruo.

El momento era emocionante.

—¡Ya se le aproxima! —dijo un marinero entrado en años, siguiendo con el catalejo los movimientos del capitán.

—Ya la arponeó —exclamó otro marinero, un simple mozalbete, con su catalejo también.

—Ya la remolca hacia nosotros —dijo un tercer marinero, hombre en la plenitud de su vigor físico.

Y era verdad que se veía venir hacia nosotros al capitán, arrastrando tras él aquella gran masa. No queremos hacer resaltar los gritos ensordecedores de «¡Viva Corazón Valeroso!», con que fue recibido al saltar a su alcázar y ofrecer a sus hombres la presa sin dar al hecho ninguna importancia. La ballena les rindió dos mil cuatrocientas diecisiete libras y seis peniques.

Dio orden el capitán de que se afianzasen las velas, y puso proa oeste-noroeste.

La Belleza, más que flotar, volaba sobre las oscuras aguas azules. Nada de particular ocurrió en el transcurso de una semana, exceptuando el apresamiento de cuatro galeones españoles, después de una cruel batalla, y de un bergantín procedente de América del Sur, todos ricamente cargados. La inacción comenzó a hacer mella en el espíritu de la tripulación. El capitán Corazón Valeroso convocó a toda su gente a popa y les habló así:

—Muchachos, me han dicho que hay entre vosotros algunos descontentos. Que se adelante el que no esté conforme.

Hubo un cuchicheo, durante el cual se escucharon palabras como *bandera nacional, forte, estribor, babor,* y palabras semejantes, que revelaban rebeldías subterráneas y cobardes. Guillermo Buzey, capitán de la cofa del trinquete, salió al frente. Era corpulento, pero se estremeció bajo la mirada del capitán.

—¿Qué quejas tienes? —le preguntó el capitán.

El grandullón marinero le contestó:

—Mirad, capitán Corazón Valeroso: llevo sirviendo a bordo, de niño y de hombre, muchos años; pero en ningún barco he visto servir la leche para el té de la tripulación tan agria como en esta embarcación.

Y en el mismo instante, un grito agudo de «¡Hombre al agua!» anunció a la asombrada tripulación que Buzey, al retroceder, en vista de que el capitán había echado descuidadamente la mano a la fiel pistola que colgaba de su cinturón, había perdido el equilibrio y estaba debatiéndose entre las olas espumosas.

Todos se quedaron estupefactos.

Pero fue obra de un momento para el capitán Corazón Valeroso quitarse su uniforme y tirarlo, sin preocuparse de las preciosas condecoraciones que lo adornaban, y arrojarse al mar para salvar al gigante, que se ahogaba. Fueron arriados los botes entre un loco frenesí y la más desbordante alegría se apoderó de todos cuando vieron que el capitán sostenía a flote, con los dientes, al náufrago. Resonaron ensordecedores aplausos cuando estuvieron otra vez en la cubierta de *La Belleza*. Desde el instante en que el capitán Corazón Valeroso se cambió las ropas mojadas por otras secas, no tuvo amigo más ferviente y humilde que Guillermo Buzey.

Corazón Valeroso tendió entonces la mano señalando hacia el horizonte y llamó la atención de su tripulación hacia los afilados mástiles de un buque abrigado en un puerto bajo la protección de los cañones de un fuerte.

—A la hora de la salida del sol ha de ser nuestro —les dijo—. Que os sirvan doble ración de ron, y todo el mundo preparado para entrar en combate.

Se pusieron manos a la obra.

Aparecieron las primeras luces del alba, después de una noche pasada sin pegar ojo, y entonces se vio que el barco desconocido salía del puerto, con todas las velas desplegadas, a ofrecer batalla. Los dos barcos se fueron acercando el uno al otro. De pronto, el barco desconocido disparó un cañonazo e izó la bandera de Roma. Corazón Valeroso advirtió entonces que aquélla era la barca de tres palos de su profesor de gramática latina. Lo era, en efecto, porque desde que él se lanzara a la piratería lo había estado buscando incansablemente por todos los rincones del mundo.

Corazón Valeroso hizo una alocución a su gente, ordenándoles que le trajesen vivo al profesor de gramática latina. Hecho esto, enviólos a ocupar sus puestos, y empezó la batalla con una andanada que largó *La Belleza*. Después viró en redondo y largó otra. *El Escorpión* —nombre muy apropiado que llevaba la barca del profesor de gramática— no se mostró reacio a devolver el fuego; siguió a esto un terrible cañoneo, en el que los disparos de *La Belleza* tuvieron efectos tremendos.

El maestro de gramática fue visto durante el combate en la popa, rodeado de humo, animando a sus hombres. Es preciso decir, para ser justos, que no era un pusilánime, aunque su sombrero blanco, sus calzas grises cortas y el largo sobretodo color rapé, que le llegaba hasta los talones —el mismo que llevaba cuando ultrajó a Corazón Valeroso—, contrastaban desventajosamente con el brillante uniforme del último. En aquel momento, Corazón Valeroso empuñó una pica, se puso al frente de sus hombres y dio la orden de abordaje.

Se empeñó una pelea desesperada hacia las jaretas —o hacia esa parte del buque, por lo menos—, hasta que el profesor de latín, viendo que se había quedado sin mástiles, que el casco del buque y las jarcias estaban perforadas a cañonazos y que Corazón Valeroso se abría a golpes camino hacia él, arrió por sí mismo su bandera, en-

tregó su espada al enemigo y pidió cuartel. No bien fue transbordado al bote del capitán, se hundió *El Escorpión* con todo lo que había a bordo.

Al reunir el capitán Corazón Valeroso a su gente después del combate, ocurrió un incidente. No tuvo aquél más remedio que golpear al cocinero al ver que éste, furioso por haber perdido a un hermano suyo en el combate, avanzaba, blandiendo un cuchillo de trinchar, hacia el profesor de gramática para acabar con él.

El capitán Corazón Valeroso se encaró entonces con el profesor de gramática, reprochándole severamente su perfidia y preguntando a su tripulación qué es lo que creían que debía hacerse con un maestro que ultrajaba a un muchacho.

La respuesta fue unánime:

—¡Matarlo!

—Quizá tengáis razón —sentenció el capitán—. Pero no se dirá nunca que el capitán Corazón Valeroso manchó su triunfo con la sangre de su enemigo. Preparad la escampavía.

Se dispuso inmediatamente la escampavía.

—No llegaré a quitaros la vida —siguió diciendo el capitán—; pero sí os privaré de que podáis ultrajar a otros. Os voy a embarcar en esa escampavía. Encontraréis en ella dos remos, una brújula, una botella de ron, una pipa pequeña de agua, un trozo de ·cerdo, un saco de bizcochos y mi gramática latina. ¡Id a insultar a los indígenas, si es que encontráis alguno!

El desdichado fue embarcado en la escampavía y pronto quedó muy atrás. Ningún esfuerzo hizo por remar, y la última vez que lo distinguieron los telescopios de *La Belleza* estaba tirado de espaldas y con las piernas en alto.

Como empezase a soplar una brisa muy viva, el capitán Corazón Valeroso dio orden de enfilar hacia el sur-sudoeste; para aliviar un poco la goleta, se desvió uno o dos puntos hacia el oeste por el oeste, y aun hacia el oeste-sudoeste, cuando la fuerza del viento era muy grande. Después, se retiró a descansar, pues tenía gran necesidad de reposo. Además del cansancio del día, el bravo oficial había recibido diecisiete heridas, de las que no había dicho una palabra a nadie.

Por la mañana se les echó encima una borrasca pálida, a la que sucedieron otras turbonadas de varios colores. Tronó y relampagueó furiosamente por espacio de seis semanas. Y después se desataron los huracanes durante dos meses. Siguieron a éstos las trombas marinas y los ciclones. El más viejo de los marineros que iban a bordo

—era viejísimo— aseguraba que jamás había visto tiempo como aquél. *La Belleza* navegaba sin rumbo, y el carpintero notificó que el agua alcanzaba en las bodegas una altura de seis pies y dos pulgadas. Todos trabajaron en las bombas hasta caer sin sentido.

Empezaron a escasear las provisiones. Nuestro héroe racionó la comida a la tripulación severamente y se la racionó a sí mismo aún con mayor severidad. Pero sus buenos ánimos le hacían engordar. La gratitud de Buzey, el capitán de la cofa del trinquete, al que nuestros lectores recordarán, llegó en situación tan dura a extremos verdaderamente conmovedores. El afectuoso, aunque humilde, Guillermo pidió repetidas veces que lo matasen y que reservasen su carne para la mesa del capitán.

Nos acercamos ahora a una situación distinta.

Cierto día, y en un claro de sol, cuando el tiempo se había calmado bastante, el vigía —que había llegado a un extremo de debilidad física que no le permitía llevarse la mano al sombrero para saludar al capitán, y que, además, se había quedado sin él porque se lo había llevado el viento— gritó:

—¡Salvajes a la vista!

Se produjo una gran expectación.

Vieron que mil quinientas canoas, empujada cada una por veinte salvajes con remos de pala, avanzaban en excelente orden. Eran los salvajes hombres de color verdoso que entonaban con gran alegría el estribillo siguiente:

> *¡Chú a chú, a chú, dyente*
> *Maska, ma ka, ithier-no!*
> *¡Chú a chú a chú, dyente*
> *Maska, ma ka, ithier-no!*

Como estaban cerrando las sombras de la noche, supusieron que aquellas frases expresaban, para el sentimiento de gentes tan sencillas, el himno del atardecer. Pero no se tardó en dilucidar que no eran otra cosa que una versión del rezo de antes de comer.

El jefe, imponente en su adorno de plumas de alegres colores, que le daban la majestuosa apariencia de un loro guerrero, se enteró —porque comprendía perfectamente el inglés— de que la goleta era *La Belleza*, mandada por el capitán Corazón Valeroso, y en el acto se arrodilló sobre cubierta, tocando con la cara en el suelo, y no hubo manera de convencerle con palabras de que se pusiese en pie, hasta que el capitán mismo lo levantó y le dijo que no le haría ningún daño. Se ve, pues, que la fama de Corazón Valeroso se le había adelantado, llegando hasta aquellos hijos de la naturaleza.

Trajeron inmediatamente tortugas y ostras en asombrosa cantidad; con estos manjares y el ñame hizo la tripulación una comida sustanciosa. Acabada ésta, el jefe dijo a Corazón Valeroso que en su poblado disponían de manjares mucho mejores, y que le complacería mucho invitarle a él y a sus oficiales. El capitán, recelando una traición, ordenó a la tripulación de su bote que le acompañase completamente armada. Y no estaría de más que otros comandantes adoptasen idéntica precaución...; pero no nos anticipemos.

Al llegar las canoas a la playa, observaron que la noche estaba iluminada por las llamas de una inmensa hoguera. Corazón Valeroso avanzó del brazo del jefe, no sin antes haber ordenado a la tripulación de su bote que permaneciese muy alerta, sin apartarse de allí; y puso al frente de ella al intrépido, aunque iletrado, Guillermo.

Pero ¡cuál no sería la sorpresa del capitán al encontrarse con un círculo de salvajes que entonaban a coro la bárbara versión del rezo de antes de comer, que hemos insertado más arriba, al mismo tiempo que bailaban, agarrados de las manos, alrededor del profesor de gramática latina, antes de ponerlo al fuego para cocinarlo!

Corazón Valeroso consultó con sus oficiales qué deberían hacer. El desdichado cautivo no cesaba, entretanto, de pedir perdón y de solicitar que lo libertasen. Se decidió, al fin, accediendo a la generosa proposición de Corazón Valeroso, que se le permitiría seguir crudo bajo dos condiciones:

Primera. Que bajo ningún concepto ni circunstancia se tomaría la libertad de dar lecciones de nada a nadie.

Segunda. Que, si se le conducía de regreso a Inglaterra, se dedicaría a viajar en busca de muchachos que tuviesen necesidad de que se les hiciesen los deberes escolares, y que él se los haría sin exigir remuneración y sin decir una palabra del asunto a nadie.

Corazón Valeroso sacó la espada de la vaina y le hizo jurar estas dos condiciones sobre su reluciente hoja. El prisionero lloró con amargura y pareció deplorar vivamente los errores de su carrera anterior.

Entonces el capitán ordenó a la tripulación del bote que se preparase para hacer una descarga y que volviesen a cargar sus armas rápidamente.

—Espero de vosotros que pelearéis como leones —murmuró Guillermo Buzey—. Y tened en cuenta que no os quito ojo.

Dichas estas palabras, el risible, pero temido Guillermo apuntó bien.

—¡Fuego!

La voz vibrante del capitán Corazón Valeroso se perdió entre el estruendo de los fusiles y los gritos de los salvajes. Las descargas se sucedieron, despertando numerosos ecos. Millares de salvajes huyeron chillando hacia los bosques. Vistieron de prestado al profesor de gramática latina con un gorro de dormir y un frac que se puso con los faldones hacia adelante. Ofrecía una figura que movía a risa y a compasión; pero le estaba bien merecido.

Y vemos ahora al capitán Corazón Valeroso, a bordo ya con su cautivo, abandonando aquellos parajes con rumbo a otras islas. En una de ellas —no de aquellas en que comían carne humana, sino de las otras, en que comían cerdo y vegetales— contrajo matrimonio, aunque sólo en broma por su parte, con la hija del rey. Permaneció allí bastante tiempo, y los indígenas le entregaron gran cantidad de piedras preciosas, polvo de oro, colmillos de elefante, madera de sándalo, con lo cual se hizo riquísimo. Esto, a pesar de que todos los días hacía a sus hombres regalos de incalculable valor.

Cuando el barco estuvo cargado hasta más no poder de toda clase de valiosos productos, Corazón Valeroso ordenó levar anclas, y *La Belleza* puso rumbo a Inglaterra. Una triple salva de aplausos acogió estas disposiciones, y antes de que se pusiese aquel día el sol, el rudo, pero ágil Guillermo bailó más de una danza escocesa sobre la cubierta de la goleta.

Volvemos a encontrar al capitán Corazón Valeroso a unas tres leguas de las costas de Madera, examinando, a través del catalejo, un buque desconocido y de apariencia sospechosa que navegaba hacia él. Disparó un cañonazo de advertencia, y el barco desconocido izó una bandera, que el capitán reconoció inmediatamente, porque era la del mástil que había en el jardín trasero de su propia casa.

Sacó de esto la consecuencia de que su padre se había hecho a la mar a fin de averiguar el paradero de su hijo. Para cerciorarse de la verdad de tal suposición, despachó su propio bote a parlamentar y averiguar si los propósitos de su padre eran compatibles con su honor. Regresó el bote, trayendo un regalo de verduras y carne fresca y la noticia de que el buque desconocido era *La Familia*, de mil doscientas toneladas, y que no sólo venía a bordo el padre del capitán, sino también su madre, con la casi totalidad de sus tías y tíos y todos sus primos. Informaron, además, a Corazón Valeroso de que toda su parentela había hablado muy bien de él y que anhelaban abrazarle y darle las gracias por la aureola gloriosa de que había rodeado a la familia. Corazón Valeroso los invitó inmediatamente a todos a un almuerzo que se celebraría al día siguiente en *La Belleza*, y dispuso lo necesario para organizar un baile que durase el día entero.

Pero en el transcurso de aquella noche descubrió el capitán que nada había adelantado con rescatar al profesor de gramática latina. Se sorprendió al traidor desagradecido, cuando ambos barcos se hallaban anclados el uno al costado del otro, comunicándose por medio de señales con *La Familia* y ofreciendo entregar a Corazón Valeroso.

El encuentro del capitán con sus padres tuvo lugar entre lágrimas. Si se hubiesen hallado presentes sus tías y sus tíos, se habrían derramado también lágrimas; pero el capitán no estaba para lloros. Gran asombro produjo a sus primos el tamaño de la goleta y la disciplina de su tripulación, quedando sobrecogidos por el esplendor de su uniforme, haciéndoles notar cuanto había en él digno de atención. Mandó también disparar sus cien cañones y se divirtió con el susto que se llevaron.

La fiesta sobrepasó todo cuanto se había hecho hasta entonces a bordo de un barco, y duró desde las diez de la mañana hasta las siete de la mañana siguiente. Hubo sólo un incidente desagradable. El capitán Corazón Valeroso no tuvo más remedio que cargar de grilletes a su primo Tomasito por irrespetuoso. Pero al cabo de unas horas de encierro, y previa promesa de enmienda, tuvo la humanidad de ponerlo en libertad.

Corazón Valeroso descendió con su madre al camarote de honor, y le preguntó por la muchacha de quien estaba enamorado, como todo el mundo sabía. Su madre contestó que el objeto de su amor se hallaba en una escuela de Margate, aprovechando la ocasión para tomar baños de mar —esto era en el mes de septiembre—; pero que sospechaba que los amigos de la joven seguían oponiéndose a la unión. Corazón Valeroso decidió en el acto que bombardearía, si era necesario, aquella población.

Tomó con tal propósito el mando de su barco, y transbordó todo, menos las fuerzas combatientes, a *La Familia*, ordenándole que navegase en conserva. No tardó Corazón Valeroso en anclar frente a Margate Roads. Se dirigió a tierra, bien armado y escoltado por la tripulación de su bote —a cuya cabeza iba el fiel, aunque feroz, Guillermo—, y solicitó hablar con el alcalde, el cual salió a su encuentro.

—¿Conocéis, por ventura, el nombre del barco anclado allí? —preguntó con altivez Corazón Valeroso.

—No —contestó el alcalde, frotándose los ojos, pues a la vista de aquel barco magnífico anclado no podía creer lo que veía.

—Su nombre es *La Belleza* —siguió diciendo el capitán.

—¡Cómo! —exclamó con sobresalto el alcalde—. Entonces, ¿vos sois el capitán Corazón Valeroso?

—El mismo.

Se produjo una pausa. El alcalde temblaba.

—Y ahora, alcalde, elegid —dijo el capitán—: traerme a mi novia o ser bombardeado.

El alcalde solicitó un plazo de dos horas para hacer averiguaciones respecto al paradero de la muchacha. Corazón Valeroso no le otorgó sino una, y le puso de centinela inseparable a Guillermo Buzey, el que, con la espada desenvainada, debía acompañarle a todas partes.

Al cabo de una hora reapareció el alcalde, más muerto que vivo, estrechamente vigilado por Buzey, más vivo que muerto.

—Capitán —dijo el alcalde—, he averiguado que la señorita en cuestión va a darse un baño. En este mismo instante espera a que quede libre un coche. La marea está baja, aunque empieza a subir. Nadie sospechará de mí si me acerco en uno de los botes municipales. Cuando ella se adelante en traje de baño desde detrás de la capota del coche por aguas poco profundas, mi bote le interceptará el camino de retirada. Haced vos mismo el resto.

—Alcalde —le contestó el capitán Corazón Valeroso—, habéis salvado a la ciudad.

El capitán ordenó a la tripulación que desatracasen el bote, tomó el timón, hizo que remasen hacia el lugar de los baños y, una vez allí, que descansasen, sin soltar los remos. Todo ocurrió según lo previsto. Su encantadora novia avanzó hacia el baño, el alcalde se deslizó detrás, ella se azaró, perdió pie, y en aquel instante, mediante un hábil golpe de timón y un arranque vigoroso de los remos, su enamorado Corazón Valeroso la sostuvo en brazos. Sus gritos de terror se convirtieron entonces en gritos de alegría.

Antes que *La Belleza* tuviese ocasión de zarpar, se izaron todas las banderas en la población y en el puerto y voltearon todas las campanas, anunciando al bravo Corazón Valeroso que no tenía nada que temer. Resolvió, en vista de ello, contraer matrimonio allí mismo, y solicitó, por el telégrafo de banderas, que le enviasen un clérigo y un sacristán. Éstos acudieron rápidamente en una escampavía llamada *La Alondra*. A bordo de *La Belleza* tuvo lugar otra gran fiesta; en el transcurso de la misma llegó un mensajero en busca del alcalde, y éste regresó con la noticia de que el Gobierno quería saber si el capitán Corazón Valeroso consentiría en recibir el grado de coronel, en agradecimiento por los valiosos servicios que había prestado al país dedicándose a la piratería. El capitán habría rechazado tan insignificante regalo; pero como a su novia le ilusionaba que fuera coronel, lo aceptó.

Sólo una cosa ocurrió antes que al buen barco *La Familia* le fuese permitido ausentarse con ricos presentes para todos. Es doloroso recordar —pero así se muestra la naturaleza humana en algunos primos— que el incorrecto primo de Corazón Valeroso, Tomasito, tuvo que ser castigado a tres docenas de azotes «por desvergonzado y por hacer burla». Pero la señora de Corazón Valeroso intercedió por él, y fue perdonado. *La Belleza* fue entonces reparada, y el capitán y su novia partieron hacia el océano Índico, para vivir felices de allí en adelante.

Cuarta parte

NOVELA DEBIDA A LA PLUMA DE RIQUITA
ASHFORD, DE SEIS AÑOS Y MEDIO

Existe un país, que yo os mostraré cuando entienda de mapas, en el que los niños y niñas viven como a ellos les parece. Da gusto vivir en país tan encantador. Las personas mayores obedecen allí a los niños por obligación, y no se les permite sentarse a la mesa sino en sus cumpleaños. Los niños les imponen el deber de preparar compotas, jaleas, mermeladas, tartas, empanadas y budines, y toda clase de pastelería. Si se niegan a ello, se les coloca en un rincón hasta que obedezcan. A veces, se les obsequia con algún pastel; pero en tales casos se tiene cuidado de darles después una purga.

Uno de los habitantes de aquel país, cierta criaturita verdaderamente encantadora, llamada señora Naranja, sufría la desgracia de tener una familia muy numerosa. Le era preciso vigilar constantemente a sus padres, los que tenían a su vez amigos y compañeros que siempre hacían alguna barrabasada.

De ahí que la señora Naranja acabase por decirse a sí misma: «No es posible seguir soportando este martirio. Es preciso enviarles a un colegio».

La señora Naranja se quitó el delantal, se atavió elegantemente, cogió en brazos a su niño y salió en busca de otra señora, llamada Limón, que regentaba una escuela elemental. La señora Naranja, en pie en el felpudo de limpiarse los pies, dio un fuerte tirón a la campanilla.

Respondió a la llamada la doncella de la señora Limón, que se estiró los calcetines cuando venía por el pasillo.

—Buenos días —dijo la señora Naranja—. Hace muy buen tiempo. ¿Cómo estáis? ¿Se halla en casa la señora Limón?

—Sí, señora.

—¿Le queréis anunciar que están aquí la señora Naranja y su niño?

—Sí, señora. Pasad.

El bebé de la señora Naranja era una preciosidad, todo él de auténtica cera. El de la señora Limón era de cuero y de afrecho. Sin embargo, cuando la señora Limón se presentó en la sala con el bebé en brazos, la señora Naranja le dijo con mucha cortesía:

—Buenos días. ¡Qué hermoso tiempo! ¿Cómo estáis? ¿Y cómo sigue este angelito?

—Regular tan sólo. Está echando los dientes, señora.

—¿Qué me contáis, señora? —exclamó la señora Naranja—. ¿Le han dolido mucho?

—No, señora.

—¿Cuántos dientes tiene ya?

—Cinco, señora.

—Pues mi Emilia tiene ya ocho. ¿Os parece que los dejemos el uno al lado de la otra sobre la repisa de la chimenea, mientras conversamos?

—¡Encantada, señora mía! —exclamó la señora Limón—. Bueno, decid.

—Antes que nada, señora: ¿no os estoy molestando?

—En absoluto, señora —contestó la señora Limón—. Todo lo contrario, os lo aseguro.

—Siendo así, decidme, os lo ruego: ¿Tenéis plazas vacantes en este colegio?

—Las tengo, señora. ¿Cuántas son las que os harían falta?

—La verdad es, señora —contestó la señora Naranja—, que he llegado a la conclusión de que mis niños —¡Ahora caigo en la cuenta de que me había olvidado de decir que en el país de que hablo se llama niños a las personas mayores!— no me dejan vivir. Veamos: dos padres, dos íntimos amigos de mis padres, un padrino, dos madrinas y una tía. De modo, pues, que haría falta que tuvieseis ocho vacantes. ¿Las tenéis?

—Justamente son ocho las que tengo —contestó la señora Limón.

—¡Qué suerte! ¿Y a precio moderado?

—Muy moderado, señora.

—¿Y la comida? ¿Buena?

—Excelente, señora.

—¿Abundante?

—Muy abundante.

—Eso me encanta. ¿Están prohibidos los castigos corporales?

—La verdad, señora: de cuando en cuando les damos un zarandeo, y en alguna rara ocasión hemos repartido bofetadas —dijo la señora Limón—; pero sólo en casos muy extremos.

—¿Podría ver el establecimiento, señora?

—Será un placer para mí, señora.

La señora Limón condujo a la señora Naranja a la escuela. Eran muchos los alumnos que asistían a clase.

—En pie, niños —dijo la señora Limón, y ellos se pusieron maquinalmente en pie.

La señora Naranja cuchicheó a la señora Limón:

—¿Podría decirme qué es lo que ha hecho ese niño pálido, calvo, de patillas rojas, que está castigado?

—Venid acá, White, y contad a esta dama lo que habéis hecho —dijo la señora Limón.

—He apostado dinero a las carreras de caballos.

—¿Y no os arrepentís de ello, niño travieso? —le preguntó la señora Limón.

—No, señora —contestó White—. Estoy pesaroso de haber perdido; pero me habría alegrado ganar.

—Retiraos, señor. Ahí tenéis, señora Naranja, otro niño incorregible —dijo la señora Limón—. Este es Brown. Es un mal caso el de este Brown. Come hasta no poder más. Glotón, ¿cómo andáis de vuestra gota?

—Mal —contestó Brown.

—¿Qué otra cosa podéis esperar? —le dijo la señora Limón—. Tenéis un estómago del tamaño de dos. ¡Ea, poneos inmediatamente a hacer algún ejercicio físico! Señora Black, venid acá enseguida. Aquí tenéis, señora Naranja, a una niña que siempre está jugando. Imposible retenerla en casa ni un solo día; siempre anda de regodeo y echando a perder sus vestidos. Desde la mañana a la noche, y desde la noche a la mañana, diversión y diversión. Así no hay manera de que haga algo de provecho.

—No lo esperéis —contestó ceñuda la señora Black—. No me da la gana de hacer algo de provecho.

—Ahí tenéis, señora, una muestra de su carácter —dijo la señora Limón—. Viéndola zascandilear todo el día, abandonándolo todo, se diría que es, por lo menos, una mujer de buen humor. ¡Sí, sí! Es la tunante más descarada y respondona* que jamás visteis en toda vuestra vida.

—Os darán mucho trabajo todos ellos, señora.

—Muchísimo. No sabéis qué rabietas les acometen, y cómo se pelean, y siempre con su pretensión de que ellos saben bien lo que les conviene, y cómo pretenden imponerse unos a otros. ¡Dios me libre de niños tan malos!

—Perfectamente, señora. Os deseo muy buenos días —dijo la señora Naranja.

—Os los deseo muy buenos —contestó la señora Limón.

La señora Naranja tomó en brazos a su bebé y regresó a casa, y dijo a toda aquella familia que tanto le molestaba que los iba a enviar a todos a la escuela. Ellos contestaron que no querían ir a la escuela; pero ella preparó sus equipajes y los envió a todos.

—¡Oh, dichosa de mí! ¡Qué descanso y alegría! —exclamó la señora Naranja, recostándose en su sillón—. Ya me he librado de toda esta gente molesta.

En aquel preciso instante, llegó a la puerta otra dama, la señora Compañerita, y llamó: ting-ting-ting.

—¿Vos por aquí, señora Compañerita? —exclamó la señora Naranja—. ¿Cómo estáis? Hacedme el favor de quedaros a comer. Sólo tenemos un pisto dulce, seguido de un sencillo asado de pan y melaza; pero, si os conformáis con nuestra pobreza y os quedáis, nos causaréis un grandísimo placer.

—No insistáis —contestó la señora Compañerita—. Lo haría con muchísimo gusto; pero no os imagináis a qué vengo. ¿A que no, señora?

—Realmente, amiga mía, no lo adivino —contestó la señora Naranja.

—Pues he venido a invitaros a una pequeña fiesta que doy esta noche para los niños —dijo Compañerita—. Sólo faltáis vos, el señor Naranja y vuestro bebé para que estemos completos.

—Me complacería mucho asistir, como ya os lo podéis imaginar —exclamó la señora Naranja.

—Sois muy amable —dijo la señora Compañerita—. Confío en que los niños no os molestarán.

—¡Angelitos míos! Nada de eso —contestó la señora Naranja.

El señor Naranja regresaba de la ciudad, y anunció su llegada también con un ting-ting-ting.

—Jaime, amor mío; pareces cansado —le dijo la señora Naranja—. ¿Qué has estado haciendo hoy en la ciudad?

—Armar trampas para cazar pájaros, jugar con la raqueta y la pelota —contestó el señor Naranja—. Y eso acaba con un hombre.

—Es cosa de espanto esa ciudad —dijo la señora Naranja a la señora Compañerita—. Agota a la gente, ¿no es cierto?

—¡Un suplicio! —le contestó la señora Compañerita—. Mi Juan viene últimamente especulando en el grupo de las peonzas. Yo le digo muchas veces cuando llega a casa por la noche: «Juan, ¿vale la pena fatigarse y desgastarse tanto?».

Para entonces estaba ya lista la comida, y todos se sentaron a la mesa, y mientras la señora Naranja trinchaba el cuarto asado de pan y dulces, exclamó:

—Corazón que nunca se alegra es un ruin corazón. Juan, baja a la bodega y sube una botella de cerveza.

A la hora del té, el señor y la señora Naranja, con su bebé, acompañados de la señora Compañerita, se dirigieron a la casa de ésta. Los niños no habían llegado todavía; pero la sala de baile, decorada con flores de papel, estaba preparada para que celebrasen su fiesta.

—¡Qué encanto! —exclamó la señora Naranja—. ¡Angelitos míos, y cuánto se van a divertir!

—A mí me tienen sin cuidado los niños —dijo bostezando, el señor Naranja.

—¿Ni siquiera os gustan las niñas? —le contestó la señora Compañerita—. ¡Ea!, no me lo neguéis: las niñas os gustan.

El señor Naranja movió negativamente la cabeza y volvió a bostezar.

—Son tontas y vanidosas.

—Mi querido Jaime —exclamó la señora Naranja, que andaba curioseando—: venid a ver. La cena de los niños está ya servida en la habitación que hay detrás de esa puerta. No les falta ni su salmón en escabeche, ni su ensalada, ni su asado de ternera, ni sus aves, ni sus pasteles variados, ni el burbujeante champán.

—Así es. Me pareció que era mejor que cenasen solos. La mesa nuestra está ahí, en el rincón, para que los caballeros beban su vaso de vino con agua, coman su bocadillo de huevo duro y jueguen a ver a quién le dura más mientras el otro mira. Nosotras, mi querida amiga, tendremos bastante con atender a todo el mundo.

—¡Claro que sí, señora mía! Tendremos bastante —exclamó la señora Naranja.

Empezaron a llegar los invitados. El primero en presentarse fue un chico muy rollizo, de tupé blanco y gafas. Le acompañaba una doncella que luego preguntó a la señora de la casa:

—Mis respetos, señora. ¿A qué hora hay que venir a buscarlo?

La señora Compañerita contestó:

—A las diez en punto. ¿Cómo estáis, señor? Id a ese cuarto y sentaos.

Fueron llegando otros muchos niños: chicos solos, chicas solas y chicos y chicas por parejas. No se portaban nada bien. Algunos de ellos miraban a los otros con sus monóculos y decían: «¿Quiénes son éstos? No me los han presentado». Otros miraban a algunos con los monóculos y les decían: «¡Buenas!». Los había que al serles entregada una taza de té, contestaban: «¡Gracias! ¡Muchas gracias!». Había bastantes que iban de un lado a otro y se llevaban la mano al cuello de la camisa. Cuatro fastidiosos gordinflones se plantaron en el umbral de la puerta, hablando de periódicos, hasta que la señora Compañerita se fue hacia ellos y les dijo:

—Amiguitos, no puedo consentir que no dejéis entrar a nadie. Lo sentiré mucho; pero como insistís en interceptar el paso a los demás, tendré que mandaros a vuestra casa.

Y a su casa envió a un chico de barba y amplio chaleco blanco, que se había despatarrado delante de la chimenea, calentándose los faldones del frac.

—Eso es una incorrección, amigo mío —le dijo la señora Compañerita, sacándolo de la habitación—, y no puedo tolerarlo.

Una banda de chicos, compuesta de arpa, corneta y piano, estaba tocando, y las señoras Compañerita y Naranja se afanaban en convencer a los muchachos para que sacasen a bailar a las chicas. Pero ¡qué testarudos eran! No hubo modo, durante largo rato, de convencerlos de que buscasen pareja y la sacasen a bailar. Muchos contestaban:

—¡Gracias...! ¡Muchas gracias...! Por ahora no, luego.

Y casi todos los demás:

—¡Gracias...! ¡Muchas gracias...! Pero no bailo.

—Son muy cargantes estos niños —decía la señora Naranja a la señora Compañerita.

—¡Angelitos míos! ¡Cómo los quiero...! Pero ¡qué cargantes son! —contestó la señora Naranja a la señora Compañerita.

Por fin se pusieron a bailar con ritmo lento y melancólico, y ni aun entonces hacían caso de lo que se les decía, sino que querían esta pareja, y no aceptaban aquella otra. Y no se sonreían, no, señor; por nada del mundo se habrían sonreído; y cuando la banda dejaba de tocar, daban vueltas y más vueltas por el cuarto, de dos en dos, muy tristes, como si todos los demás se hubiesen muerto.

—De veras que cuesta trabajo divertir a estos antipáticos niños —dijo la señora Compañerita a la señora Naranja.

Ciertamente eran difíciles. Cuando se les

pedía que cantasen, se negaban y cuando ya todos estaban convencidos de que no querían cantar, entonces cantaban.

—Querida —dijo la señora Compañerita a una niña alta, vestida de seda color malva, que enseñaba por detrás una gran mancha blanca—, si vuelves a obsequiarnos con otra canción como ésa, tendré la dolorosa satisfacción de ofrecerte una cama y de enviarte inmediatamente a ella.

Las niñas estaban ridículamente ataviadas y tenían los vestidos en jirones antes de la hora de la cena. No había modo de que los muchachos no les pisasen las colas de sus vestidos. Y cuando esto ocurría se mostraban muchas veces irritadas y lanzaban miradas furiosas. Sin embargo, todos parecieron contentos cuando la señora Compañerita anunció:

—La cena está lista.

Todos se precipitaron hacia el comedor, empujándose unos a otros, como si al mediodía sólo hubiesen comido pan duro.

—¿Cómo se portan los niños? —preguntó el señor Naranja a la señora Naranja cuando la señora Naranja fue a echar un vistazo a su bebé. Lo había dejado en un estante mientras su marido jugaba, rogándole que le echase de cuando en cuando un vistazo. A la pregunta de su marido, contestó:

—¡Encantadores! ¡Qué curioso resulta el contemplar sus pequeños amoríos y celos! Venid a verlos.

—Muchísimas gracias, querida; pero de verdad que no me interesan los niños.

Entonces, y después de cerciorarse de que su bebé seguía bien, la señora Naranja regresó sin su esposo a la habitación en que estaban cenando los niños. Al encontrarse con la señora Compañerita, le preguntó:

—¿Qué hacen ahora?

—Discursos. Juegan a los diputados.

Al oír lo cual, la señora Naranja volvió otra vez adonde estaba su esposo, y le dijo:

—Querido Jaime, haz el favor de venir. Los niños están jugando a los diputados.

—Gracias, querida —le contestó—. Nunca me ha interesado el Parlamento.

Y así fue como la señora Naranja volvió sin el señor Naranja a la habitación en que los chicos cenaban y estaban jugando a los diputados. Algunos gritaban: «¡Bien! ¡Bravo!», mientras otros decían: «¡No, no!», y algunos: «¡Pregunta!», «¡Corte!», y otra serie de frases de lo más absurdas.

De pronto, uno de aquellos muchachos gordos que se habían atravesado antes en la puerta impidiendo el paso, les dijo a todos que él estaba «sobre sus piernas»[1]

---

[1] Frase que en la terminología del Parlamento inglés equivale a estar en el uso de la palabra.

—como si los demás no viesen que ni estaba sobre su cabeza ni sobre ninguna otra parte de su cuerpo— para rectificar, y que, con el permiso de su ilustre amigo, si le permitía darle este tratamiento —y el otro cargante muchacho le contestó con una inclinación—, seguiría rectificando. Y siguió el impertinente gordinflón con la canturria de su discurso, hablando no sé qué ni cómo de que tenía un vaso en la mano, de que había acudido aquella noche como quien cumple con lo que él llamaba un deber público; y a propósito de esto, y aprovechando la oportunidad, con la mano sobre el corazón —la mano que tenía libre—, anunció a los ilustres caballeros allí presentes que iba a abrir cauce al aplauso general. Y dijo:

—¡Brindo por nuestra anfitriona!

Y todos contestaron:

—¡Por nuestra anfitriona!

Y hubo muchos aplausos.

Se levantó entonces el otro muchacho cargante y empezó con su canturria, y a continuación lo hicieron otra media docena de alborotadores y disparatados. Hasta que la señora Compañerita exclamó:

—No puedo soportar este barullo. Bien, muchachos; habéis jugado a los diputados. Pero el Parlamento es una cosa que aburre muy pronto, y ya es hora de que lo dejéis porque pronto vendrán a buscaros.

Después de otro baile —con mayores destrozos de vestidos que antes de la cena— empezaron a venir a buscarlos, y quizá os agrade saber que el primero a quien se llevaron fue al cargante gordinflón que había estado «sobre sus piernas». Una vez que se marcharon todos, la pobre señora Compañerita se dejó caer en un sofá y dijo a la señora Naranja:

—Estos chicos acabarán matándome a disgustos. Creédmelo, señora.

—Yo los adoro, señora —contestó la señora Naranja—; lo que ellos necesitan es un poco de novedad.

El señor Naranja cogió el sombrero; su esposa, el gorro y a su bebé, y salieron camino de su casa. Cruzaron por delante de la escuela elemental de la señora Limón en su viaje de regreso, y dijo la señora Naranja:

—Querido Jaime, ¿estarán ya dormidos nuestros encantadores chicos?

—Me preocupa muy poco que estén dormidos o despiertos —contestó su esposo.

—¿Qué dices, Jaime querido?

—En cambio, tú estás loca por ellos, ¿no es así?

—¡Completamente! —exclamó, con expresión de éxtasis, la señora Naranja—. ¡Los adoro!

—Yo, no.

—Se me ha ocurrido, Jaime, amor mío —le dijo la señora Naranja, oprimiéndole el brazo—, que quizá le guste a la señora Limón que nuestros chicos se queden en su colegio durante las vacaciones.

—Si se le paga, no me cabe duda de que querrá —contestó el señor Naranja.

—Siento verdadera adoración por ellos —siguió diciendo su esposa—. Pero ¿qué te parece si le pagásemos?

A esto se debieron los grandes progresos de aquel país y el que la vida en él fuese una delicia. Después que se vieron los estupendos resultados del experimento hecho por la señora Naranja, no se permitió ya que los niños (es decir, los que en otros países se llaman personas mayores) tuvieran vacaciones y abandonasen el colegio para ir a sus casas, y los que en otros países pasan por niños los tuvieron guardados allí, en el colegio, obligándolos a obedecer en todo lo que les mandaban.

—Se me ha concedido —dijo la señora —dijo la señora. Sería preocupándole el hecho—. Por quién la puedo a la señora Lamonthe, que dijo: —quédate en tu colegio durante las vacaciones.

—Sí, la pagaré no más, eso que conseguí querer —contestó el señor Brauxta.

El paraguas

No aceleré el paso solamente por un sentimiento de galantería oficiosa con el fin de alcanzar a una dama que delante de mí marchaba a través de la llanura del pueblo de Ivyton. Me era indiferente su belleza, pero ella estaba en posesión de un talismán que, para mí, era de una fascinación irresistible...: era dueña de un paraguas. Para que pueda ser plenamente apreciado el poder que dicho objeto ejerció sobre mí, diré que la lluvia caía a torrentes y que, aunque nos encontrábamos en el mes de febrero, yo no disponía ni de un paraguas ni de una capa. Había dejado olvidada la más necesaria de estas prendas accesorias en un vagón del ferrocarril.

Las sombras del crepúsculo vespertino se iban convirtiendo en negra noche, y no creo necesario explicar cómo la sensación de estar calado hasta los huesos por una lluvia invisible es infinitamente más desagradable que verse sorprendido por un súbito chaparrón en pleno día.

El poder contemplar las gotas de agua

que van cayendo rápidamente resulta un espectáculo entretenido para los ojos, y parece, hasta cierto punto, una compensación cuando uno se está mojando; pero no advertir la humedad sino por la sensación de recibirla es algo muy triste y deprimente.

El paraguas de referencia era para mí una esperanza. En trance tan apurado, ciertamente podía solicitar que se me admitiera al abrigo de su cúpula de tela de algodón impermeable sin exponerme al peligro de ser tenido por audaz o impertinente. Apreté, pues, el paso a través del interminable llano y acabé por alcanzar a la dama, a quien no le pude ver la cara, aunque sí recuerdo el color de su vestido. Pero lo más importante era el amplio paraguas que la defendía de la lluvia.

Pude observar que su dueña —porque, en efecto, se trataba de una mujer— debía tener una pequeñísima dosis de la curiosidad que generalmente se atribuye al bello sexo, pues ni el rumor de mis pasos en el resbaladizo sendero ni el sentirme chapotear en los charcos detrás de ella, a poquísima distancia, le decidieron a volver la cabeza para ver quién la seguía en medio de una solitaria llanura y cuando la noche empezaba a cerrar. Armada de su paraguas contra el temporal, parecía no preocuparse de ninguna otra cosa en el mundo. Pero aconteció algo más extraordinario todavía, y fue que, cuando conseguí deslizarme hasta ponerme a su lado, debajo del paraguas (he dicho ya que su tela era de algodón), ella no hizo el menor movimiento ni para mirarme ni por esquivar mi compañía, sino que, sin volver los ojos, continuó caminando tranquilamente cuando cada uno de mis pasos era un resbalón que nos salpicaba a los dos. Le dirigí algunas palabras corteses. No me contestó. ¿Era sorda, quizá? Cabe en lo posible. La sospecha de que no pudiera oírme me indujo a coger el paraguas por el puño con mi propia mano y cederle a ella la mejor parte. No opuso resistencia. Pero en aquel mismo instante me encontré solo... Sí, solo, sin nadie a mi lado, y dueño de un paraguas de algodón... La dama había desaparecido, y desaparecido tan rápidamente que, aunque llevaba un vestido de color, no pude ya percibirla en ninguna parte.

Formar una opinión precipitada es siempre insensato. Cinco minutos antes, se me había metido en la cabeza que la dama no tenía otra preocupación que la de defender su paraguas contra el temporal, y ahora estaba viendo que la conservación de aquel utensilio debió tenerle sin cuidado. Yo no lo sostenía con una mano tan firme que no hubiera ella podido arrebatármelo y desaparecer con él, si era su deseo desembarazarse de mí. ¿No sería que el paraguas le estorbaba? No; de ningún modo. La lluvia refutaba esta segunda hipótesis.

* * *

Me encontraba confortablemente sentado en el locutorio de los «Alegres Navegantes», vaciando a pequeños sorbos mi vaso de aguardiente, magnífico para reponerse de un chaparrón, y fumando un puro, mientras contemplaba perezosamente *mi*... digamos mejor *el* paraguas, abierto delante del fuego. La posada de los «Alegres Navegantes» estaba contigua a la estación del ferrocarril, y la verdad es que no me contrarió lo más mínimo el tener que esperar media hora a que pasara el tren que debía llevarme de nuevo a Londres.

Literalmente ocioso, me sentía dispuesto a interesarme por cualquier cosa, de modo que casi me alegré de poder seguir, a través de la puerta abierta, una conversación sostenida por el posadero y su mujer con algunos parroquianos reunidos junto al mostrador.

—Este es un año bisiesto —decía un anciano.

—Sí —contestó una voz gruñona, la de una vieja—; hoy es 29 de febrero. Me gustaría saber si *ella* ha cruzado la llanura.

—¡Tonterías! —dijo el hostelero.

—¡Oh, sí! —replicó la voz gruñona—. ¡Así sois los hombres! Sólo creéis en lo que se bebe, en lo que se come y en lo que se guarda en el bolsillo. Pero yo sostengo, porque sé lo que me digo, que *ella* debe haber cruzado la llanura al anochecer, hoy, 29 de febrero.

—Yo he atravesado la llanura cien veces y nunca he visto nada —dijo otra voz cavernosa.

—Nada absolutamente —corroboró el hostelero.

—Sí, sí, sí... —hubo de replicar la voz gruñona—. Pero ¿habéis pasado por la llanura el 29 de febrero al oscurecer? ¿Pasasteis por allí esta tarde, cuando anochecía?

—Hoy no, lo confieso —dijo la voz cavernosa.

—No, ¿eh? Está bien —replicó la vieja—. Y hace cuatro años, ¿pasasteis por allí? ¿Y hace ocho años?

—No. Desde luego, no pretendo llevar la contraria —dijo la voz cavernosa, empleando un acento más conciliador.

—Es lo mejor que podéis hacer —repuso la voz gruñona—. Personas que valían más que yo vieron «aparecidos» y se convirtieron también ellas en fantasmas antes que la pobre *miss* Crackenbridge.

Ahora bien: oyendo esta conversación,

86

con el paraguas bajo mis ojos, mi moral no se encontraba precisamente en su apogeo. Comprendí enseguida que *aquella* de quien hablaba la voz gruñona no podía ser otra que la dama cuyo paraguas de algodón había yo puesto a secar junto a la lumbre, me di cuenta de toda la injusticia que encerraban las dudas expresadas irónicamente por el posadero y la voz cavernosa, pero no me atrevía aún a pasarme abiertamente al campo de la verdad. Mi testimonio era el que mejor podía defender a la anciana de las burlas de sus contradictores, y fui tan cobarde que me mantuve sin intervenir en la discusión. Cuanto más reflexiono sobre esta circunstancia, más disminuye la estimación de mí mismo. Si me hubiese encontrado en una aldea de costumbres primitivas, donde la existencia de los fantasmas suele ser admitida como un hecho natural, me habría presentado sin la menor vacilación para combatir a los desgraciados escépticos. Mi conducta no habría sido diferente, estoy convencido, en medio de una sociedad de espiritistas elegantes. Pero nací en un pueblo de los alrededores de Londres, donde sólo entre los más viejos de sus habitantes subsiste la credulidad de otros tiempos. Por otra parte, el lenguaje de aquellos que hablaban en la posada demostraba, inequívocamente, que no pertenecían a la clase social donde tienen su elemento los adeptos del espiritismo aristocrático. Por miedo a ser el hazmerreír de un vulgar hostelero o de algún huésped más ordinario todavía, dejé que continuaran atacando a la anciana sin acudir en su defensa, aunque me parece que el paraguas tenía conciencia de mi pusilanimidad y me estaba observando con mudo desprecio.

¡Cuán grande debe ser el heroísmo del mártir que afronta la execración popular, antes de permanecer callado cuando puede proclamar la verdad! Entre mi conducta y..., digamos, la de San Lorenzo, media una inmensa distancia.

Pero, mientras el termómetro de mi valor moral señalaba el grado más bajo, el de mi curiosidad iba subiendo con extraordinaria rapidez.

A tal punto había llevado mi depravación, que lo mismo que motivaba el descenso del primero era causa de que el otro alcanzara la mayor altura. Me deslicé, por consiguiente, del locutorio al mostrador, y, al mismo tiempo que trataba de conquistarme la simpatía del posadero pidiéndole unas galletas que dejaría sin probar, dije, aparentando la mayor indiferencia:

—Me tomo una libertad que espero estaréis dispuesto a perdonarme. He oído vuestra conversación, sin querer, os lo aseguro,

a propósito de cierta persona que atraviesa la llanura de un modo misterioso.

—Sí, señor —contestó el posadero, dirigiéndome una mirada significativa—. Habéis oído bien. Pero si deseáis obtener más detalles, debéis dirigiros a esa señora que veis ahí. Se trata de una de esas historias que las viejas conocen mejor que nadie.

Me siento abrumado de vergüenza y confusión al confesar que a la mirada significativa del hostelero contesté con otra igual. Es humillante tener que convenir en ello; pero, si fuera miembro del Parlamento, votaría muy rara vez con la minoría.

—¡Oh! —dijo la anciana, que, por cierto, me pareció muy respetable—. Os contaré la historia, señor, si es que de veras os interesa. Me tienen sin cuidado los que se ríen.

Me consideré indigno de pisar el mismo suelo sobre el cual se posaban los pies de la heroica anciana.

No pienso repetir, palabra por palabra, lo que oí de sus labios, que abundaba en detalles no relacionados directamente con el asunto principal. Será suficiente decir que, según la buena mujer, una tal Catalina Crackenbridge acudió a la llanura de Ivyton la noche del 29 de febrero del año... Iba a reunirse con su amante, que la había citado en aquel lugar; pero nunca más, pasada aquella noche, se la volvió a ver. Supusieron unos que había sido víctima de la acechanza de un malvado, que la asesinaría después; otros daban por seguro que debió suicidarse... Pero lo más cierto de esta historia es que, al anochecer de todos los 29 de febrero, cualquiera que atravesara la llanura de Ivyton podía..., y debía, encontrarse con la infortunada Catalina Crackenbridge.

Después de haber cambiado con el posadero una mirada de indulgente superioridad —hasta tal punto era yo despreciable—, pregunté si el fantasma llevaba habitualmente un paraguas.

—¡Oh! ¡Oh! ¡Oh! —exclamó el posadero, soltando su risa a chorros—. ¡Seguramente debe llevar paraguas si la noche es lluviosa como la de hoy! ¡Esta sí que es buena! A ver qué puede contestar la vieja a la pregunta del caballero.

El hombre de la voz cavernosa aplaudió mi pretendido sarcasmo, y yo continué siendo tan cobarde que me dejaba jalear a costa de una pobre e indefensa anciana, cuando era cierto que ella y yo creíamos lo mismo. De todos modos, mi pregunta, nacida de una natural curiosidad, no había tenido otro objeto que el de orientarme acerca de mi extraña adquisición del paraguas. Sí, me dejé aplaudir, y, lo que es peor, hice coro a las risas de los circunstantes, permitiendo que todos, comprendida la anciana, me tuvieran por un hombre ingenioso y bromista.

La pobre mujer se limitó a contestarme que no sabía si el fantasma llevaba o no paraguas, para retirarse luego con un sentimiento de irascibilidad no solamente justificable, sino también digno de loa. Por lo que a mí respecta, volví al locutorio con el aire del vencedor que acaba de derrotar arteramente a un honorable adversario.

Es fácil imaginarse cuál sería mi sorpresa al encontrar que el paraguas había cambiado de posición durante mi charla en el mostrador. Yo lo había dejado con la parte convexa vuelta hacia el fuego y, por consiguiente, con el puño en sentido contrario. Ahora era el puño el que estaba más cerca de la chimenea y la tela secábase al fuego por la parte cóncava. Como no había entrado nadie durante mi ausencia en el locutorio, esta nueva posición del paraguas era de un efecto estupefaciente. Sin embargo, no se escapó de mis labios ninguna exclamación. Tomé el paraguas, lo cerré, me lo puse debajo del brazo y pasé por delante del mostrador con el aire de una persona que tiene prisa, mientras hacía al posadero esta frívola observación:

—Espero que no se me escapará el tren.

Aunque hubieran estado en la posada, visibles para mí, todos los fantasmas de todos los *Hamlets*, habría roto sus líneas antes que traicionarme con una palabra, con una mirada o con un gesto. Me preocupaba sobre todo no comprometerme a los ojos del hostelero y sus amigos. Las iniciales C. C., grabadas en el puño del paraguas, confirmaban, sin embargo, mi creencia de que había sido propiedad de la infortunada Catalina Crackenbridge.

El paraguas, debo decirlo, aunque de algodón, no era una prenda de calidad ordinaria. Observé su puño de marfil, macizo y ricamente labrado con arabescos de estilo oriental. Las iniciales no habían sido trazadas con el primer instrumento venido a mano; por el contrario, eran obra de un experto grabador. No es de extrañar, por consiguiente, que al hacer una visita a mi viejo amigo Jack Hingsby, inmediatamente después de haber dejado el tren, exclamara el visitado con su familiaridad habitual:

—¡Caramba, amigo mío! ¡Vaya paragüitas que os traéis!

—No está del todo mal, en efecto —contesté, con una indiferencia despreciable.

Y lo dejé en un rincón cerca de la puerta, con el sombrero colgando del puño, según una antigua costumbre mía. Siendo yo, por naturaleza, negligente y distraído, había perdido tantos paraguas en mi juventud que, para perder alguno menos, hube de recurrir al expediente, cuando hacía alguna visita, de dejar siempre el sombrero colgando del puño del paraguas, de forma que este último quedaba convertido en un hongo. Así, como no podía olvidarme del sombrero, al ir a buscarlo me venía a la mano el paraguas.

—No pretenderéis hacerme creer, querido amigo —siguió diciéndome Jack—, que lo habéis adquirido con vuestro dinero. Una adquisición semejante es impropia de mi viejo Yorick Yorke.

—No; no lo he comprado... Me ha venido de las Indias —respondí, esperando, con la poca conciencia que me quedaba, que no mentía absolutamente, en consideración a que el origen atribuido a mi paraguas era el más verosímil.

Había ido a comunicar a Jack Hingsby una agradable noticia y, en agradecimiento, me obsequió con cuatro docenas de ostras y una botella de cerveza. Cuando la cena, rociada además con dos vasos de ponche, hubo terminado, me levanté para despedirme.

—¡Eh, viejo camarada! —dijo el hospitalario Jack—. ¿Dónde habéis dejado vuestro sombrero y vuestro paraguas? ¡Vaya, aquí están! Pero... ¡diablo...! Juraría que habíais puesto el paraguas en aquel rincón de la puerta y enganchado el sombrero en su

puño... ¿Cómo se explica que el sombrero esté ahora junto a la chimenea y en el suelo, con la punta del paraguas metida en su copa?

El pequeño incidente del locutorio de los «Alegres Navegantes» me había ya preparado para no sorprenderme de las misteriosas evoluciones de mi paraguas. Con un descaro sin nombre, le contesté a Jack:

—El paraguas y el sombrero están en su sitio. Lo que pasa, Jack, es que el vaso donde os servisteis el ponche era demasiado grande y...

Jack no se había servido el ponche en un vaso más grande que el mío y el ponche, por otra parte, era demasiado flojo para que se le hubiese subido a la cabeza.

—Debe de ser eso —me contestó, tomando el aire de un filósofo—. Supongo, camarada, que al daros cuenta de que vuestro paraguas estaba chorreando, quisisteis evitar que se mojara la alfombra, haciendo servir el sombrero de cubeta... Muchas gracias, querido amigo.

Sólo supe balbucear no sé qué lugar común relativo a los intereses de los buenos amigos, que han de tener siempre preferencia sobre los propios, y esquivé como pude la cuestión, al advertir que Jack continuaba preocupado por las evoluciones de mi paraguas. Tanto lo ha recordado siempre, aunque no volviera a verlo, que nunca ha dejado de hacer alusión, cuando nos encontramos, al extraño suceso de aquella noche.

Había estado yo tan atento hasta entonces a mantener una máscara ante las personas de mi alrededor, que hubo de faltarme tiempo para sentir todo el espanto que debía inspirarme la posesión sobrenatural del misterioso paraguas. Me encontraba detentador de un objeto que me había sido puesto en la mano por una mujer fantasmal, desaparecida como una sombra, cuyas circunstancias coincidían exactamente con las del espectro aparecido en la llanura de Ivyton el 29 de febrero de todos los años bisiestos.

Poco a poco, la impresión que dejó en mi espíritu un hecho tan singular se hizo cada vez más viva, sobre todo a partir del momento en que me encontré en mi casa, con sólo la compañía de la servidumbre y frente a frente con el paraguas. Acabé por considerarlo como una de esas visitas inoportunas que uno no retiene por voluntad y a las que no se puede despedir. ¿Qué hacer? ¿Dónde colocarlo? ¿Podría permanecer con él toda la noche? ¿Lo guardaría en mi dormitorio? Lo peor era que lo asociaba, a pesar mío, a cierta visión, y que me consideraba objeto de su vigilancia.

Me acordé de un pequeño gabinete situado encima de mi alcoba, especie de desván donde iban a parar todos los trastos viejos, y otras cosas inútiles. Me dirigí a él con mi paraguas y abrí la puerta con precaución para no despertar a los criados que dormían en una habitación contigua. Ni un ladrón ocupado en forzar una cerradura habría puesto mayor cuidado en no hacer ruido.

Los trastos viejos, insignificantes durante el día, toman de noche un aspecto siniestro al verlos, a la luz de una vela. Suele haber algo de espectral en la silueta de esos muebles ya inservibles amontonados desordenadamente. Proyectan sobre las paredes formas inquietantes y las telarañas que los envuelven son como un velo fantasmagórico.

Dejé delicadamente el paraguas apoyado contra una canasta y volví a mi dormitorio, no sin haber percibido algunos cuchicheos de los sirvientes, alarmados por el rumor de mis pasos.

De nuevo me entregué a mis sueños. Veía el paraguas erguirse ante mí como un enorme murciélago, formando la tela de algodón la membrana de sus alas y con una pequeña garra bien visible en la extremidad de cada varilla.

No pude sonreír cuando, a la mañana siguiente, al traerme la criada el café y las tostadas del desayuno, me mostró al mismo tiempo el paraguas, mientras decía:

—Creo que el señor lo dejó anoche en el cuarto de los trastos viejos.

—Sí —contesté secamente.

Comprendí, sin embargo, que mi contestación no satisfacía a la muchacha, quien debía saber perfectamente que al dejar yo el paraguas en el desván no lo había hecho por descuido y sin alguna intención.

—¿Estaba junto a la canasta? —pregunté.

—No, en otro rincón, apoyado contra el baúl grande —contestó la chica.

—Sí, en efecto, allí lo dejé —hube de afirmar, como si estuviera seguro de lo que decía.

Un paraguas que os ha sido prestado por un fantasma, que se os aparece en vuestros sueños tomando las formas más espantosas y que, sin la ayuda de la mano humana, se traslada de un rincón a otro, no puede ser un objeto deseable.

Pero fueron vanos todos mis esfuerzos por desembarazarme de aquel tesoro. Lo olvidaba intencionadamente en casa de un amigo, o en cualquier otro sitio. En varias ocasiones, dejé el paraguas de algodón, para llevarme, en su lugar, otro de seda; invariablemente, me lo enviaban a mi domicilio. Me dirigí a una de las calles más miserables de Londres y entré a comprar una bagatela en el establecimiento de un comerciante conocido como encubridor de ladrones, para dejar allí el paraguas apoyado contra el mostrador y retirarme después apresuradamente. Pero pronto una jovencita harapienta corrió detrás de mí con el paraguas. Visité a distintos comerciantes de paraguas para venderles o cambiarles aquella muestra rarísima de su arte. El dueño del establecimiento estaba siempre ausente, y nunca, ni por excepción, se encontraba en su lugar alguien que estuviera autorizado para comprar un paraguas o cambiarlo por otro.

Se me ocurrió la idea de empeñarlo por una suma ínfima, de modo que no pudiera ser rechazado. Lo hice así después de haber perdido mucho tiempo vagando por delante de los establecimientos vecinos de uno de esos santuarios de la benevolencia interesada. Y entré en uno rojo de vergüenza por haberme tropezado con un amigo que me preguntó adónde iba.

—Bien, señor —me dijo el dependiente sentado detrás del mostrador, empleando un aire de protección que no es frecuente entre los hombres de su oficio—. ¿En qué podemos serviros?

—He venido para...

Pero antes de terminar la frase noté que el paraguas ya no estaba bajo mi brazo, de modo que me retiré, no sin advertir que el dependiente me seguía con una mirada un tanto recelosa, mientras yo pasaba por el sobresalto del ladrón que teme haber sido descubierto.

Llegado a mi casa, me encontré el paraguas colgado de una percha del recibidor... Cabe en lo posible que lo hubiera puesto yo mismo allí... Sea como fuere, comprendí enseguida que me sería muy difícil deshacerme de él.

Al acercarse el último día del mes de febrero del año siguiente, tuve una inspiración: podía suceder que, si me diera una vuelta por la llanura de Ivyton, al cumplirse el aniversario de haber entrado en posesión del paraguas, me encontrara con su legítima propietaria. Aunque el paraguas había pasado a mis manos el 29 de febrero, fecha que no podía repetirse sino cuatro años más tarde, no era un disparate considerar como aniversario el 1 de marzo. El día 29 de febrero de los años bisiestos y el 1 de marzo de los otros años tienen en común que uno y otro siguen al 28. Y no era de creer que un fantasma, acostumbrado a considerar la esencia de las cosas, observara un arreglo cronológico únicamente imaginado para adaptar el calendario a los cálculos terrestres.

Partí de Londres por ferrocarril, y el 1 de

marzo al anochecer me encontraba en medio de la llanura de Ivyton con mi paraguas abierto. No había ni una nube en el azul del cielo y la luna iluminaba el campo con una claridad comparable a la del día. No vi a nadie salvo a algunos lugareños que aprovechaban el claro de luna para dar un paseo antes de cenar y que debieron tomarme por un personaje ridículo. Un paraguas abierto en pleno mediodía puede hacer las veces de parasol y no expone, al que lo lleva para defenderse de los rayos del ardiente Febo, a las burlas de nadie; pero pasearse al claro de luna con un paraguas desplegado es una extravagancia que ninguna persona de buen sentido podría perdonar. Soporté algunas bromas con el estoicismo de quien tiene conciencia de su culpa y sabe que se merece lo que le suceda. Cuando las piedras y otros proyectiles de barro reemplazaron la granizada verbal de las procacidades, me retiré sin sentir ira ninguna contra mis perseguidores... En su lugar, también yo habría arrojado piedras.

Los meses sucedieron a los meses. Todas las noches soñaba con el murciélago. Pero la costumbre me había ya familiarizado con estos sueños. Si los espectros me hubiesen abandonado, creo que no habría dormido bien.

En cuanto al paraguas, me lo encontraba

con tanta frecuencia en un lugar distinto de aquel donde lo había dejado, que empecé a considerar su locomoción como algo connatural de su existencia, y si se hubiera estado quieto en su sitio, habría experimentado la sensación del hombre a quien se le para el reloj.

Cierta noche, me encontraba leyendo los anuncios del periódico cuando me quedé sorprendido por la lectura de un aviso misterioso... Antes, debo decir que la víspera me había sido devuelto el paraguas de un modo muy singular. Confiado a la pericia de un industrial, para que le cambiara la tela de algodón por otra de seda, retornó de nuevo a mi casa —creo que por propio impulso— en compañía de un hombre que esperaba en el recibidor el importe de su trabajo y que no quería marcharse sin cobrar.

Le dije que se quedara con el paraguas, que, revendiéndolo, haría un buen negocio.

—¿Que me quede con el paraguas? —exclamó—. *Tengo ya bastantes de los que no consigo desprenderme.* Lo que necesito es mi dinero.

De las palabras que dejo subrayadas, ¿no se podía deducir que el industrial había encontrado él también al fantasma? Esto no pasa de ser una simple conjetura.

Véase qué decía el anuncio del periódico:

El 29 de febrero, C. C. hará una visita a Y. Y. para reclamarle el depósito.

Ahora bien: un hombre que se llama Yorick Yorke, como es mi caso, puede creer que las iniciales Y. Y. son las que le corresponden.

¡Cuán grande es el poder de la costumbre!

Tres años antes, deseaba con tanta impaciencia que llegara el día extra del año bisiesto, que pensé sustituirlo con el 1 de marzo. Ahora, sin embargo, necesité no menos de quince minutos para encontrar en mi espíritu la conexión que existía entre el paraguas y la fecha en que fue dejado en mi mano por primera vez. Otro cuarto de hora transcurrió antes de que recordara las iniciales de la infortunada Catalina Crackenbridge.

Todo el horror de los cuatro años transcurridos renació en mi corazón, y mi angustia no tuvo límites cuando, al buscar apresuradamente la fecha del periódico, escapó de mis labios esta exclamación:

—¡29 de febrero es hoy!

Me lancé como un insensato hacia el recibidor, en busca del paraguas, que llevé a mi alcoba, dejándolo sobre la mesa. Y, cruzados los brazos, estuve contemplándolo largo rato, obstinadamente.

No podría decir cuánto tiempo duró

aquella contemplación. De pronto, noté que no estaba solo, aunque no hubiera podido determinar quién estaba conmigo. Por una singular transformación de mi cuarto, aunque el espejo continuaba sobre la chimenea y todos los muebles seguían ocupando su lugar, la alfombra se había convertido en húmeda pradera, mientras las paredes, ahora transparentes, me dejaban ver una vasta y solitaria llanura, sobre la cual iban cayendo las sombras de la noche. Distinguía perfectamente el rumor de la lluvia y me sentí mojado como si el agua cayera sobre mí. En contradicción con todas las leyes de lo verosímil, me encontraba al mismo tiempo en mi casa de Londres y en la llanura de Ivyton, mientras un cuerpo extraño pesaba sobre mi brazo derecho, un soplo glacial rozaba mi mejilla y un rostro pálido, cerca del mío, movía los labios como para hablarme, aunque no llegó a articular sonido alguno.

Cuando aquel rostro se hubo desvanecido, cuando el cuerpo dejó de pesar en mi brazo, cuando la alfombra volvió a ser alfombra y no pradera, cuando las paredes perdieron su transparencia, pude advertir que el paraguas había desaparecido también.

No sé qué explicación dará la filosofía a tan extraordinarios fenómenos; yo me he limitado a referirlos con la mayor exactitud posible. Que los escépticos atribuyan algunos de sus detalles al ponche de mi amigo Jack Hingsby, a mi carácter distraído y soñador, a mi costumbre hereditaria (por línea paterna) de echar un sueñecito para favorecer la digestión después de las comidas; lo acepto. Pero ¿qué leyes físicas explicarían la circunstancia extraordinaria de haberme sido imposible, en todo el tiempo que separa dos años bisiestos, desprenderme del paraguas? ¿Cómo justificar su retorno a mi casa con el industrial que había cambiado su tela de algodón por otra de seda? Y su desaparición imprevista el 29 de febrero, ¿a qué pudo obedecer?

Whittington y su gato

Hasta hace pocos años, todavía se podía
ver en lo alto de la puerta de Newgate, pri-
sión de Londres, un bajorrelieve que repre-
sentaba a un lord-alcalde con un gato a sus
pies. Dicha escultura, de comienzos del siglo xv, contrastaba con los blasones de los
príncipes y de los caballeros de la misma
época, pues en unos había un león real y en
otros un noble lebrel; pero el pueblo de
Londres no saludaba con menos respeto al
gato de Newgate. Y aun en nuestros días,
cuando la piedra, gastada por los siglos,
apenas si deja adivinar las figuras, una ba-
lada canta a Whittington y a su gato: al gato
porque enriqueció a su amo y al amo porque se mostró digno de ser rico al dotar a su
país de establecimientos útiles y benéficos.

A finales del siglo xiv, sir William Whittington, caballero del condado de Lancaster, arruinado por las guerras de Eduar-
do III, recomendó al morir, a sus parientes y
amigos, un pobre huérfano, su hijo. Pero
sir William olvidó, sin duda, que los parientes y amigos de los caballeros que mue-

ren pobres, no abundan ni son generosos. El pequeño Dick, o Ricardo, no encontró a nadie que quisiera reconocerle y mucho menos hacerse cargo de él. Sin pan y sin asilo, mientras erraba cierto día por los caminos, vio pasar una carreta que se dirigía a Londres. Acordándose de lo que había oído decir de los esplendores de aquella capital, persuadido de que el hijo de un capitán arruinado por servir a su rey, encontraría en ella, entre tan ricos palacios y tan suntuosos banquetes, un modesto albergue y un pedazo de pan, suplicó al carretero que le permitiera seguir a pie su pesado vehículo. El hombre se avino a ello con la mejor voluntad y hasta le permitió subir de vez en cuando sobre los fardos de mercancías, y como el pequeño Ricardo supo hacerse útil vigilando a los caballos cuando el carretero entraba en una taberna o se detenía más de lo conveniente a conversar con un conocido, tuvo gratis la comida hasta Londres, adonde llegaron un anochecer.

Aquella noche la pasó el niño todavía en la carreta, esperando despertarse al día siguiente ciudadano ya de la capital, es decir, tan buen burgués, por lo menos, como los otros; no el pobre huérfano de un mísero lugarejo de una provincia situada a cien largas leguas del sol de la corte. Al día siguiente, Ricardo, sin acordarse de su desayuno, empezó a recorrer las calles de Londres con los ojos muy abiertos, y deteniéndose con frecuencia, para admirar lo nunca visto por él, o por si le invitaban a entrar en aquellas magníficas casas. Pero después de caminar durante muchas horas sin pensar en sí mismo en medio de una muchedumbre de transeúntes, el pobre niño, medio muerto de admiración, de hambre y de cansancio, se consideró feliz al poder imitar a otro niño más andrajoso aún y recibir en su mano la limosna de unas monedas de cobre, con las cuales compró lo más indispensable para sostenerse aquel día. Llegada la noche, se tendió sobre un banco público y durmió acaso mejor que aquellos que le dejaban en la puerta de sus casas. Sin embargo, sus sueños, si no pesadillas, no fueron tan dorados como los de la víspera.

El segundo día, lo mismo que el tercero, Ricardo continuó recorriendo Londres, cada vez un poco más triste, casi desalentado y teniendo que dormir bajo las marquesinas de las casas aristocráticas, en cuyas vastas dependencias, de haberle dejado entrar, habría ocupado un espacio insignificante. Hasta que una vez se vio arrojado de su pétreo lecho por una malhumorada sirvienta que, al verle tendido desde la ventana de su cocina, le llamó holgazán, amenazándole con echarle por la cabeza el agua sucia del

fregadero, si no se marchaba inmediatamente.

—¡No, por dios! —suplicó el pobre huérfano, un poco asustado—. Puedo soportar la lluvia del cielo y el rocío de la mañana, pero no estoy acostumbrado al agua caliente.

Esta respuesta hizo sonreír al dueño de la casa, que presenciaba la escena. El señor Fitzwaren, que era un rico mercader, se interpuso entre la huraña cocinera y el niño repelido, a quien hizo algunas preguntas. Encantado de su ingenuidad, no sólo le permitió la entrada en su casa; quiso también que le sirvieran de cenar. La criada gruñó, pero entre dientes, y no tuvo más remedio, después de la cena, que procurarle una cama a nuestro huérfano, quien la perdonó de todo corazón, creyendo haber alcanzado el derecho a la ciudadanía de Londres, objeto de su ansiedad. Al día siguiente, el señor Fitzwaren le preguntó qué sabía hacer, cómo podría ganarse la vida y otras cosas que le azoraron un poco. Lo único que pudo ofrecer fue su buena voluntad. Sin embargo, el mercader no le echó a la calle. Continuó tratándole con benevolencia, pero Ricardo vino a ser el sufrelotodo de la casa. Bajo el pretexto de que no servía para nada, todo el mundo quería tenerlo a su servicio, hasta la cocinera, aunque continuaba llamándole holgazán. El muchacho comprendió que no conseguiría librarse de la tiranía de la cocinera sino adquiriendo las aptitudes necesarias para trabajar en el despacho del señor Fitzwaren. Y, ni torpe ni perezoso, se dio buena maña en conquistarse la simpatía de un antiguo dependiente, conseguido lo cual, y cuando estuvo seguro de su amistad, le pidió por favor que le enseñara a leer y a escribir. El viejo empleado, que era una excelente persona, accedió a darle cuantas lecciones le fueran necesarias.

Una noche se produjo en la casa una gran conmoción: todos sus moradores se habían lanzado al jardín y corrían atolondrados de un lado a otro, mientras la señorita Alicia, hija del señor Fitzwaren, lloraba desconsoladamente. Todos los ojos estaban fijos en las ruinas de un tilo, por entre las cuales revoloteaba un hermoso loro. Éste, como por burlarse de sus perseguidores, repetía todo lo que le habían enseñado, pero no se dejaba atrapar. Era el loro de la señorita Alicia, que acababa de escaparse más por maliciosa travesura de loro que por verdadero deseo de libertad. Porque es de advertir que estos glotones y fantásticos pájaros se acomodan a las dulzuras de su cautiverio y prefieren los barrotes de su jaula a la insegura y errante vida al aire libre.

Ricardo, sin vacilar, trepó por el árbol y no descendió de él hasta haber cogido al pájaro, a quien mantuvo bien sujeto, sin dolerse de los picotazos que de él recibía. La señorita Alicia, conmovida por este acto de fervorosa adhesión, quiso premiar al chico y le regaló un precioso y brillante chelín nuevo.

¿Qué hizo Ricardo con su moneda? Cuando, tendido sobre un montón de heno o sobre un banco, había pensado en otro tiempo lo bien que se debía dormir en una hermosa casa cubierta de tejas o de pizarra, no dudaba de que el lugar que le correspondía en ella era la buhardilla, desgraciadamente frecuentada por las ratas; ahora mismo, en la que tenía el muchacho su rincón, aquellos incómodos animales celebraban todas las noches un aquelarre infernal que turbaba su sueño. Por eso, con el chelín de la señorita Alicia decidió comprar un gato, que le aseguraron era de buena raza ratonera y que, en efecto, hubo de revelarse, al cabo de poco tiempo, digno rival de los gatos inmortalizados por los fabulistas más famosos. Teniendo por compañero de buhardilla a este fiel y valiente animal, Ricardo pudo dormir tranquilo en adelante.

Algún tiempo después, el señor Fitzwaren reunió a toda la dependencia de la casa. Uno de sus navíos estaba preparado para

emprender un largo viaje y, según una antigua costumbre, el mercader deseaba que todos sus servidores y empleados participaran de su suerte, enviando cada cual una pequeña mercancía al capitán. Como el navío debía visitar algunas islas africanas pobladas por gente todavía salvaje, cualquier objeto, por insignificante que fuera, tendría valor. Unos enviaron agujas de coser, otros, cuchillos o abalorios de cristal, que los buenos salvajes preferían entonces a las perlas finas y a los diamantes de su país. El pequeño Ricardo Whittington estaba avergonzado de no poseer nada más que su gato. De todos modos, impelido por un sentimiento de ambición, envió el pobre animal al barco como género de pacotilla, ya se puede suponer que en medio de generales carcajadas. Pero el señor Fitzwaren tenía por norma de comercio que cada cual traficara con lo que tuviera y según propia inspiración. «¡Quién sabe!», exclamó. Y quiso que el capitán de su barco aceptara a bordo el gato de Ricardo.

Al día siguiente, continuaban todavía las bromas y las risas motivadas por la ocurrencia del muchacho. El único que no reía era él; antes bien, lloraba por haber tenido que separarse de su mejor amigo. Tanta fue su pena que, aunque ya se encontraba en condiciones de ser empleado en el despacho del señor Fitzwaren, prefirió embarcarse también, para no perder la compañía del gato, aprovechando la circunstancia de haberse detenido el navío en Gravesend, un puerto del Támesis.

Sin decir nada a nadie, hizo un hato con su pobre ropa y partió al amanecer, esperando que el capitán le aceptaría a bordo como grumete. El instinto del mar y de los viajes, natural en los ingleses, debió de influir en la resolución tomada por Ricardo de reunirse con su gato.

El chico anduvo ligera y alegremente hasta llegar a Halloway, donde se sentó en una piedra, que todavía llaman la piedra de Whittington. Allí se apoderó de él esa tristeza que sienten casi siempre pobres y ricos al abandonar el propio país.

«¡Quién sabe —pensaba— adónde me conducirá ese barco! Hay más distancia de Londres a las islas salvajes que de Lancaster a Londres. Acaso sería mejor que dejara al gato correr solo su suerte.»

Era el día de Todos los Santos. En aquel momento, las campanas de la iglesia de Bow daban la señal de la fiesta a las campanas de Londres y, en medio de su tañido, Ricardo creyó percibir estas palabras:

Din-don, din-don, din-don,
En marcha, Whittington,
Que tú serás, din-don,
Alcalde de London.

«¡Seré alcalde de Londres! —se dijo Ricardo—. Esto me da valor para marcharme. Para ser alcalde de Londres es necesario que regrese y que regrese rico. La fortuna me llama de muy lejos; pero si los honores me esperan aquí, ¿qué importa? Tendré un viaje feliz. ¡Gracias, buenas campanas!»

Din-don, din-don, din-don,
En marcha, Whittington,
Que tú serás, din-don,
Alcalde de London.

Se sentía tan animado, que echó a correr, si bien luego se vio obligado a frenar un poco la marcha, porque se cansaba. De todos modos, siguió avanzando por su camino, como quien sigue a una estrella.

En Gravesend, fue admitido en el barco como grumete y pudo acariciar a su gato, que estaba ya ejerciendo su oficio en el pañol de las provisiones.

El navío dio la vela al viento al otro día y recorrió los mares durante un par de años, hasta que abordó en una isla africana donde se hacían intercambios muy ventajosos, pues abundaba en ella el polvo de oro y sus habitantes pagaban con él todo lo que les ofrecían los mercaderes europeos. Pero, en esta ocasión, en vez de ser recibidos los viajeros hospitalariamente, el capitán vio que se acercaba en una piragua el negro rey en persona, quien se excusó por haber prohibido la entrada del barco a la bahía. Hay que explicar que, algunos años antes, un bajel procedente de Europa había introducido en la isla una terrible plaga, sin saberlo sus tripulantes. Un gran número de ratas, más tarde multiplicadas rápidamente, habían logrado tomar tierra e invadir la isla, cuyos naturales, amenazados por el hambre, no sabían cómo librarse de aquellos incómodos y voraces huéspedes.

El negro rey se mantuvo, por lo tanto, indiferente a todos los ofrecimientos del capitán, hasta que le mostraron, cuando ya no quedaba otra cosa que enseñarle, el gato de Ricardo. Desde que Su Majestad supo para qué servían los gatos en las casas europeas, pensó que le llegaba el remedio del mismo lugar de donde le vino la plaga y descubrió a los ingleses el verdadero motivo de su desconfianza. En el acto quiso comprar el precioso animal, pagándolo a peso de oro, pero Ricardo, por amor al felino por una parte, y, por otra, por espíritu comercial, se resistió a venderlo. Dijo, en cambio, que estaba dispuesto a darse una vuelta por la isla, acompañado de su querido *Puss*, a condición de que se le pagara una pequeña prima por cada rata cazada por el gato. Así se convino, y el barco pudo entrar en la bahía. Inmediatamente, el chico saltó a tierra y comenzó por instalarse con su gato en el palacio del monarca.

La mortandad hecha por *Puss* en la regia mansión, lo mismo que en otras casas, fue verdaderamente impresionante. Sería imposible decir cuántas fueron las ratas que pasaron por sus dientes, porque nadie se entretuvo en contarlas. Puede tenerse una idea de la actividad desarrollada por el minino al saberse que su fiereza exterminadora le valió a Ricardo una tonelada de oro. Bajo promesa hecha al rey por el capitán del barco de que, en el próximo viaje, le traería un centenar de gatos, todas las mercancías del navío fueron adquiridas por Su Majestad a ojos cerrados.

Algún tiempo después, se encontraba cierto día el señor Fitzwaren sentado tranquilamente a la mesa con su hija, cuando llamaron a la puerta. Era el capitán, que entró acompañado de Ricardo. Por entonces, el señor Fitzwaren empezaba ya a sentirse inquieto por no haber tenido noticias de su navío, que nunca había estado navegando tanto tiempo. En cuanto a Ricardo, nada

sabía de su vida desde su desaparición y le costó un gran esfuerzo reconocerle.

Durante su larga ausencia, el muchacho había crecido hasta parecer un hombre, y, por otra parte, en el trayecto de Plymouth a Londres, hubo de completar su transformación comprándose un rico vestido que le daba una gran presencia. Sin embargo, se hizo anunciar modestamente como el pequeño Dick, y el señor Fitzwaren, como la señorita Alicia, se sintieron encantados de verle.

Al saber el buen comerciante que su protegido había ganado una tonelada de oro, exclamó:

—Hijo mío, ahora eres más rico que yo.

—No —dijo Ricardo—; sé demasiado bien lo que os debo y quiero pagar mi deuda: las riquezas ganadas por mí entre los salvajes, os pertenecen.

—Amigo —replicó el señor Fitzwaren, demasiado honrado para abusar de tan ingenuo reconocimiento—, no puedes darlo todo sin caer en el pecado de la ingratitud.

Al bondadoso Ricardo se le subieron los colores a la cara.

—Quiero decir —continuó, sonriendo, el señor Fitzwaren— que serías ingrato con *Puss*.

—¡Ah, no! —dijo el muchacho—. Precisamente lo que no puedo olvidar es que compré el pobre animalito con un chelín que me regaló la señorita Alicia.

—Señor Ricardo —terció la señorita Alicia, un poco ruborizada—, aquel dinero lo teníais bien ganado, pues corristeis el peligro de romperos un brazo y hasta de mataros, si os hubierais caído del árbol. Pudisteis haber hecho lo que los demás: compadecerme y esperar tranquilamente a que el loro descendiera del árbol por su propia voluntad.

—En fin —insistió Ricardo, sin resignarse a retirar su ofrecimiento—, ¿no podemos repartirnos el oro por partes iguales?

Al hablar así, ya no miraba a la señorita Alicia con el aire de un pobre niño recogido por caridad, sino con la timidez, más cercana a la cortesía que a la vergüenza, propia de un joven que se siente digno por su corazón y por su nacimiento de las reparaciones tardías que le ha otorgado la fortuna.

El señor Fitzwaren dijo:

—A fe que no veo más que un modo de resolver este asunto, y es el siguiente: acepto tu oro, Ricardo, y lo guardaré en mi caja, lo cual quiere decir que quedas asociado desde hoy a mis negocios.

Y así se acordó. El muchacho hizo regalos a todos los de la casa, hasta a la misma cocinera regañona, pero especialmente al viejo empleado que le enseñaba a leer y escribir. De este modo, nadie tuvo motivo para sentir celos. Dick, en adelante llamado el señor Ricardo Whittington, fue objeto de toda clase de atenciones, como si siempre hubiera sido rico, y su gato fue considerado como la perla de los gatos. El gato con botas del marqués de Carabás, no hizo más por su amo. Se ha dicho que *Puss*, dándose cuenta de su importancia, solía arquear el lomo erizándosele el pelo cuando le llamaban familiarmente. Dejó de ser un gato de buhardilla, para convertirse en gato de salón, el Benjamín de la señorita Alicia, y era acariciado por ésta tan tiernamente que el loro se habría muerto de envidia, si Ricardo, a su vez, no le hubiera resarcido con las atenciones más afectuosas. Pasaron algunos años más, y el polvo de oro, que habría desaparecido como en una criba si Ricardo hubiese permanecido ocioso, se convirtió en oro amonedado, doblando, de este modo, su valor.

Un día, el señor Fitzwaren se dirigió a Ricardo y a Alicia, que se encontraban reunidos con él, y les dijo:

—Hijos míos, no podréis vivir siempre como amigos. Me siento ya viejo y deseo veros casados antes de morir.

Y los casó. Fue el día más feliz de la vida de Ricardo porque el pequeño ambicioso se dijo, desde que viera a la señorita Alicia por primera vez, que si con el tiempo llegaba a ser rico, la pediría por esposa. Quedaban, pues, realizadas sus ilusiones. Alicia abrazó a su padre con una efusión en la que se reflejaba su felicidad. La boda fue brillante. El gato, ya un poco viejo, tuvo en la fiesta nupcial un puesto de honor. Aquel año, que era el de 1360 —no se ha olvidado la fecha—, Ricardo Whittington fue nombrado magistrado de Londres y al siguiente le hicieron alcalde, como las campanas se lo habían prometido.

Alegres y prolongados repiqueteos anunciaron su instalación en Guildhall y el gato tomó parte en su triunfo, sentándose en la brillante carroza de la municipalidad. Dos años más tarde, *Puss* murió y fue concienzudamente disecado. En su calidad de primer magistrado de la capital, Ricardo Whittington dio un gran banquete al rey Enrique V, que regresaba victorioso de la guerra.

Ricardo Whittington, como hombre conocedor del uso que debe hacerse del dinero, había prestado al rey una suma considerable para sus empresas militares, y cuando el monarca quiso devolvérsela, él arrojó al fuego los billetes en su presencia. Los banqueros de nuestro tiempo no suelen obrar así, pero ello no quiere decir que sean menos generosos, porque, en los días que vivimos, no se trata solamente de un rey, sino de dos, o de tres o, mejor dicho, de todos los reyes que necesitan hacer grandes empréstitos, por lo cual se ven obligados unos a otros. Sea como fuere, lo más importante es que Ricardo Whittington y su esposa vivieron muy felices, dejando una rica posteridad que perpetuó su reconocimiento por el gato haciéndole figurar en su blasón.

Índice